创业时，我们在知乎讨论什么？

创业时，我们和谁一起交流？

创业时，我们
在知乎聊什么？

知乎◎编著

Share
your
knowledge,
expertise
and
insights with
the world

中信出版社 · CHINACITICPRESS · 北京 ·

图书在版编目（CIP）数据

创业时，我们在知乎聊什么 / 知乎编著．—北京：中信出版社，2014.1
ISBN 978–7–5086–4340–3
I.①创…　II.①知…　III.①企业管理　IV.①F270
中国版本图书馆CIP数据核字（2013）第269148号

创业时，我们在知乎聊什么

编　　者：知　乎
策划推广：中信出版社（China CITIC Press）
出版发行：中信出版集团股份有限公司
　　　　　（北京市朝阳区惠新东街甲4号富盛大厦2座　邮编　100029）
　　　　　（CITIC Publishing Group）
承　印　者：北京通州皇家印刷厂

开　　本：787mm×1092mm　1/24　　　　　插　　画：方　芳　汤小元
印　　张：17.5　　　　　　　　　　　　　字　　数：150千字
版　　次：2014年1月第1版　　　　　　　印　　次：2014年1月第1次印刷
广告经营许可证：京朝工商广字第8087号
书　　号：ISBN 978–7–5086–4340–3/F · 3068
定　　价：42.00元

我们如何在知乎讨论创业？

在知乎讨论创业收获什么？

第 2 章 选择方向 // 059

第二部分
助跑期

第 5 章　早期的产品规划　　// 189

第三部分
起步期
（0~1万用户）

WHY do You START Your own BSINeSs

创业的理由有100种，但不论你选了哪一个，你所要面对的事情也许都是一样的。

第1章

审视自己

　　《现代汉语词典》对"创业"的解释是：创建事业。简单的四字解释却蕴含着太多的态度与坚持。在这个互联网高速发展的时代，Facebook（脸谱网）首次公开募股即获得上千亿美元的市值和越来越多的亿元创业公司的涌现，点燃了许多在写字楼里拿着优渥薪水和福利，但内心却不甘平庸的人们心中创业的火苗。

　　如果你问一个二十出头的年轻人，是想要被催促着买车买房结婚生子的生活，还是谈论着梦想改变世界、让自己一辈子不白活的生活，大多数人会想要后者，却最终选择前者。这就像苹果和微软一样，大多数人都喜欢苹果，但他们都在用Windows操作系统。那些谈论的人还在谈论，而那些梦想改变世界的人，才是真的没有白活。你能想象十几年前睡在硅谷Univ Ave（大学街）165号地板上那几个20出头的小伙儿，后来分别创办了视频网站YouTube、社交网站

Linkedin 和点评网站 Yelp 么？

创业就像走在一条长长的道路上，你看不见尽头，望不到边。有人忍受不了孤独而走上众人的通途，有人受不了困苦沿着脚印一步步退后，只有一种人可以看到豁然开朗的景色：他们从不畏孤独、险途，他们始终与梦想相伴，他们记得为什么出发，所以他们始终都能到达。

你为什么要创业？

我今年 20 多岁，没房没车，有一份自己不是太喜欢的工作。想自己创业来改善生活，但现在我没团队、没产品、没启动资金，只有一腔创业的热情。我想知道你当时是为什么创业的，为创业而创业会有什么问题？

■ 创业是一种态度

冯大辉❶ 所理解的"创业"，是一种对待工作的态度。

不是说自己一定要单干，比如注册个公司，当个说一不二的老板，才是在创业。想明白工作是为了自己，而不是感觉在为别人打工，这就是创业。

创业，就是一个更为积极、更为明确的工作态度。"我不在创业，就在去创

---

❶ 丁香园首席技术官。他的"小道消息"几乎成为了解互联网创业公司的入口。

业的路上。"这是我刚加入阿里巴巴那段时间的签名。

罗云登❶ *同样认为创业和态度有关。*

如果明天是世界末日，我还会选择创业，这是一种人生态度。

小时候想创业，那是因为受到家人的影响，让人感到一种成就感；中学时候想创业，是为了能住上自己喜欢的房子，开上自己喜欢的车子，去梦想的地方旅行；高中时候开始做网店，找货源，搞宣传，明白赚钱不易。创业是为了让父母过上好的生活，能帮助到自己身边困难的亲人朋友，不仅仅是为了自己要成就什么；大学后开始尝试做不一样的事情，慢慢知道自己要干什么样的事情，并为之努力，未曾放弃，坚持至今。

随着时间的推移，创业观、世界观、互联网观逐渐成熟，明白了创业最大的乐趣是，当你知道你正在做的事情改善了许多人的生活，你慢慢意识到这是一件多么有价值的事情啊！然后继续下去，乐此不疲。其实我们兜售的不是产品，而是梦想。

■ 改变自己

老杨❷ *刚刚步入创业的行列，这个问题是他不可逾越、但又总想躲避的一个问题。*

---

❶ 电商创业者。

❷ 懒汉互联网站创始人，关注于互联网线下活动。

好好的办公室坐着不舒服吗？

非得花 3 个小时的路程只为见客户 5 分钟，而且一路上又是地铁、公交、步行，又不熟悉见面地点，空气也不好。这是为什么？

每个月有稳定的收入不舒服吗？

非得冒着付出远大于回报，甚至是没有回报还倒贴的风险去做事情。这是为什么？

轻松的工作不舒服吗？

非得出去苦口婆心地介绍自己及自己的产品，既充当开发者、又当美工、编辑、市场、销售，还要充当财务。这是为什么？

朝九晚五的工作不舒服吗？

非得比别人起得早、干得晚，周末毫无怨言地加班，没时间陪家人，没有假期。这是为什么？

……

我不想等自己老去的时候，回想起过去却是一片空白，一点值得回忆的事情都没有。

我不想后悔和叹息，自己尝试了，不管是对还是错，努力过后就无怨无悔。

我只是不想虚度光阴。充实和富有挑战，才是自己骨子里最本质的东西。

我不期望自己能改变别人的世界，但愿能改变自己的世界。

■ 实现人生目标

林培中①认为，*要回答为什么创业，有个前提是弄清楚我们的人生目标是什么？*

这个问题，因人而异，没有标准答案。

第一种人希望自己成为一个比降临人世之初更好的人，例如稻盛和夫。这种人往往希望每天都能过得更充实，能把每一分每一秒都用在提高自己、实现自己的人生价值上。

第二种人，希望能好好地享受生活。只要自己和身边的人能够幸福快乐，就已经足够了。

这两种人，并没有优劣之分。克里斯托弗·莫利有一句话说得很好："只有一种成功——能以你自己的生活方式度过你的一生。"

还有第三种人，他们认为人生就是一场灾难，只希望人生能早早结束。但第三种人没有明确的创业动机，可以忽略。

在了解了不同的人有不同的人生目标后，我们就可以分别讨论他们创业的目标了。

在第一种人中，选择了创业的人也可以分为两类。

一类是有着明确目标的人，第二类是没有明确目标的人（这里假设他们都

---

① 自称"知乎控，无业游民"，个人资料中写的一句话是：如非软弱，怎会连触手可及的幸福也放弃？——纵力量绵薄，也要筑起通往梦想的桥梁。

能承担责任）。胜间和代说过："我们的人生设计应该是，尽量做自己擅长的事，把赚来的钱请别人做自己不擅长的事。"然而在日常工作中，作为员工的我们往往从事着老板安排的工作，而这些有可能对我们本身价值并不大，或是我们并不愿意做的。从事这样的工作，会让我们对自己产生深深的违和感。

"这就是我想要的生活？""我这么辛苦到底为了什么？"（正在从事自己感兴趣的工作或是只想得过且过的人除外。）每个人都希望从事自己喜欢的职业，每天做自己想做的事，然而现实是，并非每个人都能如愿以偿。

于是，在第一种人中，第一类人不甘这样下去，有着自己明确的目标，而且有勇气去承担责任的人，选择了创业。对于他们而言，创业是为了充分利用时间，提高自我，实现自己的价值。而第二类人则只是认为与其为别人工作，不如为自己工作。他们创业的目的只是渴望随心所欲的自由，或是认为只有为自己工作，才能实现人生价值。他们只是单纯地在逃避生活。

第二种人创业的目的很简单。创业就是他们享受生活的方式。就像有人会选择骑着自行车环游世界，而有人则会选择坐飞机环游世界一样，是创业还是为他人工作，只是个人享受生活的方式不同罢了。

最后，请让我引用最近微博上很流行的一句话为这个回答终结。

一个不成熟男人的标志是他愿意为某种事业英勇地死去，一个成熟男人的标志是他愿意为某种事业卑贱地活着。——《麦田守望者》

DO I HAVE ?

THINKING?
ACTION?
HEART?
CHANCE?
...

思考力、行动力、心气、时机

创业的理由有 100 种，但不论你选了哪一个，你所要面对的事情也许都是一样的。你会纠结，会胆怯，会恐惧，会退缩，每每在这种时候，就想想这个问题：你为什么创业，你为什么会在这里，你为什么要平白接受这些纠结，胆怯，恐惧和退缩。想起你的初心，也许这一切的问题，都不再是问题了。

是否适合创业？

我已经辞职准备创业了，但内心深处还是有一丝不安。自己经济条件不是太好，对今后没有固定收入的生活感到压力很大。我想知道经济基础对创业结果有多大影响？生活困难时创业是否会因为个人生存而急功近利，不利于企业发展，应该如何判断自己当下是否适合创业？

■ 思考力、行动力、心气和时机

黄继新[1]认为创业最重要的四个前提是：

---

[1] 知乎联合创始人，曾任创新工场资深投资经理，资深媒体人。2007 年认识知乎创始人周源之前，两人即在同一所中学先后被同一个语文老师教过但没有见过面；黄继新 2011 年加入知乎，和周源、李申申共同创业。

1. 思考力

2. 行动力

3. 心气

4. 时机

思考力：这事儿你要想得明白，想得比任何人都深入和透彻。

行动力：光说不练是假把式。你得设法把想法变成原型，把原型变成产品。你得设法找到志同道合的朋友和你一起拼命。你得设法弄来用户用你的产品，给你反馈。你得设法改进，以最快的速度和最高的效率。

心气：不能瞻前顾后，不能怕这怕那，不能服软，不能认输，不能拖泥带水。

时机：得要时机合适。市场没起来，你就会从先驱变成先烈。势头过去了，你就会从参与变成参观。

从上面这几点来看，你说哪一条和生活状况有关系？事实上，任何生存状况都可能导致上面四条无法出现，也有可能加速它们的成熟。

生存困难，可能心气不足，可能顾虑重重，可能不敢抓住时机，可能不敢行动，可能想都不敢想；生存困难，也可能破釜沉舟，也可能华山一条路，也可能拼命地抓住机会，也可能疯狂地跑在别人前面。

生活无忧，可能心气不足，可能不敢拼，可能给自己留有退路，可能对市场过于乐观，可能速度不够快；生活无忧，也可能再无顾虑、敢拼一次，也可能更从容而思考更完备，也可能拥有更好的起步资源。

总而言之，生存状况与是否准备好创业无关。当然，如果生活过于无忧，会要求创业者花更多精力去让别人相信自己的决心。

■ "穷"创业，"富"创业

Roy Li[1]*觉得如果能问到这个问题，其实就应该已经注意到了创业和心态的关系。*

生活困难的人，在创业的时候会有两种极端心态。一是豁出去了，反正自己也是没有任何东西可以输了，索性一赌到底。二是觉得自己还没有买房，家里逼自己找稳定的工作，各方面压力很大。想保持一份工作，期望可以有投资方助一臂之力以及分摊风险。

抱着豁出去了的心态去创业，风险其实是很高的，主要风险在于由于方向走错或者犯了一些常见的有勇无谋的错误而功败垂成。届时自己就会像一个输光了的赌徒一样，说试过做过不后悔什么的都会是浮云。为了规避这种风险，应该做好多次创业的准备，已经是第N次创业的人成功率则会高很多。在中国，这样的人相对比较少，我每碰到一个总是会加以鼓励和支持。

抱有第二种心态创业，则风险小一点，毕竟还有退路，但是容易发生士气不

---

[1] 在海外从事早期投资，连续创业者。

足、效率低下的问题。如同怕死的人在战场上干不过不要命的人。对于这样的人，如果不能直面各方面的压力，觉得自己输不起，不妨考虑曲线创业，当不了刘备还可以当赵云甚至魏延。如果碰到这样的人，我一般会纠正他们的说法，建议他们不要总是使用类似"如果融了资"、"如果公司做出起色"这样的假设句子，完全没有意义。如果有了，你是赚的，如果没有怎么办，互联网不进则退，耗着不是办法。

衣食无忧的人，则是另一种情况，也是两个极端。

一是考虑机会成本太高。比如某人创业的话，一年可能少赚数十万乃至上百万。这时候也会有别的压力，如由于自尊心过强、死要面子下不了台而引发系列错误。在这样的创始人中，急躁、急进、浮夸是很常见的。

二是我根本不care，反正哥有的是钱，做成了最好，做不成我也不会饿死。这种人其实是变数最多的，因为外界摸不清楚他的决心有多大，以及不知道他某一天是否会动摇。所以对这种人，考验在于如何展现自己的个人魅力和领导能力，从而激发士气，而不是像吕布那样"我有赤兔马，哪怕水淹"，让手下人心惶惶。

最后举一个例子：埃伦·福斯特（Eronne Foster），一位普通的白人妇女，没有任何技术背景。她干了一辈子的会计，有自己的房子，是三个孩子的母亲。她在自己50岁的时候突然开始创业，进军软件行业。尽管每年的开销达数百万美元，尽管在最困难的时候将自己的房子卖了挺过难关，她从来没有向生活妥协过。很多人不理解，以为她疯了，但是她的员工没有不喜欢她的（在新威斯敏斯特市，她的员工年薪高达 15 万~18 万美元，是外面同等职位的两倍）。即使处在同一个地区的竞争对手被迪士尼以 7 亿美元收购，她依然没有被挫败。终于，在 58 岁的时候她获得了 2 700 万美元的融资。在给投资人做演示的时候我问她：如果嘉高宾尼公司（Cackleberries）失败了怎么办？她的回答是：再做一款更好的产品。

什么时候适合创业？可能这个"时候"真的与你所处的生活状况无关。因为不管在什么时候，只要我们想找，"今年是我的幸运年"都可以成为我们创业的理由。如果我们不想，"今天天气不好"都会成为我们今天不创业的借口。所以看清自己，看清环境，该出手时，就出手吧。

创业早期容易犯哪些错误？

生活中我们往往会关注成功而忽略失败。但是在快速发展的互联网行业中，小公司创新往往风险很高，非常容易失败。而创业者自身可能也会犯错误，每一次犯错都可能是致命的。

■ 被一个真理绊倒

王兴[1]*回想早期创业，觉得自己当时并不是真的那么目标清晰、决定明确、有紧迫感。*

初次创业很容易犯的问题是：你不知道什么是重要的。我看了一些书后，发现Facebook 创始人马克·扎克伯格（Mark Zuckerberg）也是这样。脸谱网很受早期用户欢迎，但他并不知道这个事情有多么重要。他到硅谷后还一度说脸谱网这个项目并不重要，想靠脸谱网吸引一些用户来，真正想干的事是做一个下载软件。后来是肖恩·帕克（Sean Parker）告诉马克别去干其他东西，干这个就对了。

校内网当年在清华大学电子系学生节晚会前后几天之间，吸引了四五千名实名注册的用户，但是学生节晚会之后又不怎么增长了。在这之后我们也出现过摇摆，在想是不是要干另外一个项目。

老外有一种说法，很多人在很多时刻都会被一个真理绊倒，但多数人都会爬起来继续摸索。你被一个正确的机会绊倒过，但是你不知道那是机会而继续摸索，其实这时候你已经错过了这个机会。

这也险些发生在我们身上。

---

① 校内网（已更名为人人网）创始人，饭否网总裁。1997 年保送清华大学电子工程系无线电专业，毕业后全额奖学金去了美国特拉华大学。王兴说："移动互联网的冲击比想象更快更猛，冲击会一波接一波的到来，永无宁日。"

■ 准备不足

汪华[1]看到的很多情况是，一个人只是因为想创业，或者是想到或听说了一个点子，甚至只是对现有工作不满，就开始了创业。

激情是创业的第一步，但创业不是这么简单的事。

首先，你是不是真正研究和了解了你想做的事？举个例子，在淘宝开店是最简单的创业之一了。但即使是这个，做之前你有没有分析过淘宝所有门类的销量、利润、货源等情况？对你想做的门类，你有没有精研过前几百个热门的货品和商家？靠前的商家和货品，你有没有分析过他们最近几个月的每一单成交、评论？从选品、定价、货源、排名、客服、推广到配送你是否研究过？有没有从业内资深人士那儿吸取过经验？有没有实地考察过货源地？有没有分析调研过你的买家群体？

一个创业者和我谈的时候，如果我作为一个投资人都比他在他自己想做的事情上懂得还多、了解得还深的话，那我不但不会投（资），反而会劝他回去先好好想想，想清楚他到底有没有认真思考和对待他自己的创业。

即使了解了自己想做的事，第二步还要思考自己是不是能聚合做这件事所需要的要素，包括经验积累、团队、启动资金、资质牌照、商务渠道等。根据

---

[1] 创新工场联合创始人/管理合伙人。毕业于美国斯坦福大学，合作创办过银达科技有限公司，曾供职于谷歌中国，创建了谷歌中国的优质广告网络，还负责管理投资，与中国本地互联网伙伴结成战略合作。

想做的事情不同，所需的要素也不同，但最基本的是你的经验积累和团队。我看到所有的成功项目，创业者之前都在相关行业或相关方面有过很扎实的积累，有技术上，或运营上、知识上、人脉上和管理上的，等等。例如，汪海兵在摩尔之前做的是QQ宠物，智明星通在社交游戏前做的是flash（视频流）。很多年轻的、不错的创业者，之前在大学往往就做过小网站、小生意或者独立开发者。就算你对你想做的事没有直接经验，起码也要有相关的技能、运营、团队领导能力等。

创业咨询中常常会有类似"我是大学刚毕业，专业和idea不相关"或者"完全没有相关的背景，但觉得这个行业会大热，能否被接受"这样的询问。我建议先找一家相关公司工作，进行了解。如果是移动互联网，可以先试试做独立开发者，有了足够的技能、知识和人生上的积累后再开始（创业）。

团队和搭档是另一个最重要的要素。现在的互联网不像10年前，竞争非常激烈，变化非常快，要求团队一开始就有相对完整的核心团队。10年前没有太多的人做互联网，创始人和团队有足够的时间和空间去犯错误和成长。比如腾讯当年犯过的很多错误，放到今天可能就是致命的。所以当你计划好了创业的时候，下一个事情就是能不能用一切办法找到和自己互补的搭档。如果不能，那就要好好重新考虑一下你的计划。比如我一般就不会投资给没有能力或不愿吸引聚合一个小团队和自己一起干的创业者。

■ 忽视执行

很多创业者非常重视他的点子，完全不愿和别人说，把整个创业的成败都压在上面。其实说句难听的话，互联网里最不值钱的就是点子。互联网里聪明人那么多，任何你能想到的点子，一定已经有 100 个人想过甚至做过了，如果没人想过，99% 的可能是这个点子是有问题的。创业是有秘密，但这个秘密不在点子本身，而是在点子的执行，如何把它做出来。比如京东商城，人人都在做这个点子，但抄也没有用，所有的核心都在执行里。如果你觉得别人一知道你的点子，一开始做，你就不行了的话，那你注定会失败。连带的问题就是，过于追求点子，一味求新求变，追求不同，反而导致了一堆没有可执行性的计划。

■ 过于复杂

很多创业者都有很大的愿景，要做平台。比如前几年不少小公司要做手机二维码。但想一下，二维码不但要做好产品，还要订立标准，让手机厂商接受预装阅读软件，让各种商家接受使用，这个不是小公司能做到的。创业公司还是应该从一件简单明确的事启动。凡是标准平台性的、需要大量第三方接纳的，或需要同时做好几件事情才能成功的，或整个链条的大部分环节在控制之外的，最好都不要做。其实现在的互联网平台公司，大部分也都是从一个应用开始的。

Yahoo（雅虎）最早是个网址站，QQ最早是个即时通信工具，360安全卫士最早是个木马专杀。

另一个问题是多线开发，同时想做太多的事情。希望产品功能丰富，堆砌功能，没有抓核心需求和核心价值，不注意政策和限制，选择太狭窄的方向，不去考虑推广渠道、赢利模式等。

■ 长期兼职

很多创业者为减少风险，选择兼职创业，等产品第一版面市看看成功与否再做打算。其实在创业准备和研究的时间里，不辞职是可以的，但长时间兼职创业是不可取的。创业是一件需要全力投入的事，兼职往往导致执行力低下，思考不深入，团队无法真正组建（创始人都不全职，如何吸引高素质的人加入），无法融资。最重要的是导致轻易放弃和丢失市场机会。大部分人创业的第一版产品和第一次尝试往往都不会那么成功，成功往往来自后续不断学习改进。比如社交和网页游戏是我见过兼职创业比较多的，也是放弃非常多的。但很多现在非常成功的游戏，比如商业大亨，第一个版本市场反馈很不好，是通过半年多的逐步改进才逐渐成功的。

更重要的是机会。一个类别的新机会，时间窗口往往是有限的，从一个领域新开始到领域里出现成熟公司或大公司进入，导致不再适合创业，往往就一年多的时间。比如当Zynga、Playfish❶等成气候之后，再做一个Zynga的机会就没有了。从MySpace（在线社交网站聚友网）开始到Facebook成熟之后，再做一个SNS（Social Network Site，社交网站）就不太可能了。兼职创业者的竞争对手是那些100%全力投入的其他创业公司，你兼职怎么打得过别人？速度缓慢，一年很快就过去了，直接导致错过整个机会的时间窗口。而这样的机会，不是什么时候都有的。如果你对你做的事情大方向非常有信心的话，就不要兼职创业了。

■ 只招便宜人

有一些创业者，宁肯花5000元招两个应届毕业生，也不愿意花5000元招一个有一到两年工作经验的人。在他看来，两个人干的活加起来总比一个人多吧，但事实上，他付出的各种隐形成本远大于显性成本。别人走的弯路，新手会几乎不落地走一遍，谁来买单，公司呗。

有些人说，我是创业，我没钱，我不可能雇那些精英，那不合实情，但关键的是，你至少得雇能干事的人吧？

那我招一个有经验的人带他们不就好了？这看起来不错，但现实情况是，有经验的人首先未必会带人，其次是带人也会损耗他的精力。我见到最不切实际的创业者，要求一群新兵蛋子去干老兵油子干的事儿，干不成就把责任全推

---

❶　均为社交游戏公司。——编者注

到员工身上。关键是，新员工的能力有限，你逼他干他干不了的事情，那不是赶鸭子上架嘛。但是创业者又不可能等待那么漫长的培养周期。

初创者，一开始必须找到由几个精兵强将组成的团队，没有找到就继续找，宁缺毋滥，否则你的步伐会越走越慢，越走越难受。

■ "拍脑袋"有瘾

我不止一次看到创业者"拍脑袋"，凡事都是"我觉着吧"，而不是"用户觉着吧"。

以游戏行业为例，初创团队资源不足，掌握不了大量决策所依赖的资源，所以他们面临两种选择，要么跟着别人走，也就是山寨，要么自己"拍脑袋"，摸着石头过河。

这些人去打仗，那不得死得很惨？一个是跟在别人屁股后头，要灭一起灭，一个是连情报都没有就杀过去，蒙对了，大立战功；蒙错了，一败涂地。对于初创团队来说，你的那点资源能让你错几次？

■ 梯队断层

有一些创业团队起步很好，风风火火，但是队伍一壮大，轻则伤筋动骨，重则分崩离析。最"囧"的时候一个人要管着十几个人的队伍，也没有梯队的概念。那种大权在握的感觉的确不错，但问题在于一个人的管理能力是有局限的。当初创建团队的人title（头衔）里都挂了个O，却发现中层完全没培育起来，只得花大把大把的时间处理这些事情，顾此失彼，焦头烂额。

很多人的做法就是挑选工作能力最强的人作为后续管理梯队，可是工作能力最强的未必是会管理的。当一个团队每天在头疼管理问题的时候，它的产品如何继续发力？

其实这些并不算最不切实际的想法，我相信除了以为有个想法就能改变世界的愣头青会想不到这些，大部分创业者都能想到这些，但是他不知道该如何解决，这些问题就这么一直困扰着他们，直到宣布创业失败、吃一堑长一智以后，便开始知道该如何进行了。

最后的总结就是，创业者最不切实际的想法，就是以为创业是个扯大旗做虎皮，轻而易举的事情。

错误是什么，错误就像开车时走入的弯道，由于路段的原因，你也许不能完全避免，但是你可以多开多练，改进自己的入弯技术，加快入弯速度，选择漂移过弯、沟渠过弯等任何安全有效的过弯方法。所以看清前路，用你最熟练的姿势入弯吧。

RICH or POOR?

穷创业　富创业

创业者应该具备哪些素质？

创业是一个不断被筛选淘汰的过程，那些经历了市场考验幸存下来的创业者或多或少都有一些共同的特质。虽然创业有太多的不确定性，但学习这些优秀的品质或多或少能给自己创业带来些许帮助和感悟。

■ 务实与坦诚

梁公军[1]*眼中好的互联网创业者应该：*

拥有开阔视野、见多识广，知道市场什么状况、行业缺什么；懂得边界，聚焦一点，定位精准；知道自己能做什么，不能做什么；务实，眼前事立断立行，长远计日拱一卒；跌倒了，爬起来，自我修复、自我升级，重装上阵。自己要有包容力、引导力；成员间坦诚、简单、少内耗、自管理，分担责任、共享成果。

■ 热爱与相信

陈曦[2]*认可的优秀创业者应该努力成为一个善良、诚实的人。*

创业者还应该更好地对待周围的人，诚实面对所有人，把"止于至善"当

---

[1] 鲜果网创始人，曾先后担任新浪网技术经理、部门经理及微软顾问咨询部顾问。

[2] 98 年创办外贸黄页网，2000 年出售给和记黄埔 JV，01 年创办一家 ERP、CRM 定制与实施公司，2004 年创办手机网游公司畅网科技，后出售给一家手机零售企业，2007 年创办手机阅读客户端产品公司尚泽科技，2009 年创办商务社交企业久通网，http://www.9tong.com。

作创业的终极目标。时刻保持简单，实事求是。有足够的胸怀和气度，虚心，知道自己坚持些什么，可以放弃些什么，懂得放弃和分享。了解自己的擅长之处和弱点，努力提升自己，对未知的事物保持虚心和敬畏。建立一个组织，而不是一个团伙。知道自己的命运，努力去改变些什么，成为一个乐观的悲观主义者，对任何事都保持谨慎的乐观，但竭尽全力去实现目标。坚忍并且追求内心的强大。失败只会使自己离成功更近。乐于帮助别人，专注于自己的产品，知道乐于助人是一种美德并身体力行。追求产品的极致，让自己的产品有灵魂，通过自己的产品去实践自己的世界观。热爱并相信互联网，因为你是干这个的。

■ 强烈的欲望

李开复[1]认为其实创业和做人一样，首先要抓对大方向，在正确的时间做正确的事情；要做自己爱做并且擅长的事情；要脚踏实地，动手实践；不断学习、修正、进步。这些道理看似简单，要做到却需要花费很大的功夫。

"欲"，实际就是一种生活目标，一种人生理想。创业者的欲望与普通人欲望的不同之处在于，他们的欲望往往超出他们的现实，往往需要他们打破现在的立足点，打破眼前的樊笼，才能够实现。所以，创业者的欲望往往伴随着行动力和牺牲精神。这不是普通人能够做得到的。因为想得到，而凭自己现在的

---

[1] 创新工场创始人、董事长兼首席执行官。曾任谷歌公司全球副总裁兼大中华区总裁、微软公司全球副总裁、SGI公司互联网部门副总裁兼总经理、Cosmo软件公司总裁、苹果公司交互式多媒体部门副总裁。

身份、地位、财富得不到，所以要去创业，要靠创业改变身份，提高地位，积累财富，这构成了许多创业者的人生"三部曲"。因为有欲望，而不甘心，而创业，而行动，而成功，这是大多数白手起家的创业者走过的共同道路。或许我们可以套用一句伟人的话："欲望是创业的最大推动力。"

■ 忍耐力

在创业的路上，付出了怎样的代价和努力，忍受了多少别人不能够忍受的憋闷、痛苦甚至是屈辱，这种心情只有创业过的人最清楚！有多少人愿意付出与他们一样的代价？

对一般人来说，忍耐是一种美德，对创业者来说，忍耐却是必须具备的品格。

老话说："吃得菜根，百事可做。"对创业者来说，肉体上的折磨算不得什么，精神上的折磨才是致命的，如果有心自己创业，一定要先在心里问一问自己，面对从肉体到精神上的全面折磨，你有没有那样一种宠辱不惊的"定力"与"精神力"。如果没有，那么一定要小心。对有些人来说，一辈子给别人打工，做一个打工仔，是一个更合适的选择。

■ 顺势而为

势，就是趋向。做过期货的人都知道，要想赚钱，关键是要做对方向，这个方向就是势。比方说，大势向空，你偏做多；或者大势利多，你偏做空，你不赔钱谁赔钱！反过来，你就是不想赚钱都难。

势分大势、中势、小势。创业的人，一定要跟对形势，要研究政策。这是大势。很多创业者认为政策研究"假、大、虚、空"，没有意义。实则不然。对一个创业者来说，大到国家领导人的更迭，小到一个乡镇芝麻小官的去留，都会对自己有影响。在政策方面，国家鼓励发展什么，限制发展什么，对创业之成败更有莫大关系。做对了方向，顺着国家鼓励的方向努力，可能事半功倍；做反了方向，比如说，国家正准备从政策层面进行限制、淘汰某个行业、某类型企业，你偏赶在这时懵懵懂懂一头撞了进去，一定会鸡飞蛋打。

顺势而作，才能顺水行舟。观察政府，研究政策，是为了明大势。

中势指的就是市场机会。市场上现在时兴什么，流行什么，人们现在喜欢什么，不喜欢什么，可能就表明了你创业的方向。俞敏洪如果不是赶上全国性的英语热和出国潮，他就是费再大的劲，洒再多的泪，流再多的汗，也不会有今天的成功。

小势就是个人的能力、性格、特长。创业者在选择创业项目时，一定要找那些适合自己能力，契合自己兴趣，可以发挥自己特长的项目，这样才有利于自己做持久性的、全身心的投入。创业是一项折磨人的活动，创业者要有受罪的心理准备。

一个创业者要懂得人情事理。老话说："世事洞明皆学问，人情练达即文章。"创业的首要目的是合理合法地赚钱，不是改造社会。改造社会是你发达以后的事，还需要你有那样的兴趣。创业更不是为了要跟谁赌气，非要如何如何，非要让对方觉得你这个人如何如何，你才觉得心里舒服，你那是自己为自己设绊。

创业是一个在夹缝里求生存的活动，尤其在社会转轨时期，各项制度、法律环境都不十分健全，创业者只有先顺应社会，才能避免在人事环节上出问题。作为对照，很多原先很牛气的外资企业，认为本地人才这样不行、那样不行，只有外来和尚才能念好经，现在也都认识到了人才本地化的重要。人才为什么要本地化？因为本地的人才更熟悉本地的情况，能够按照"本地的规矩"做事，也就是说更能入乡随俗。创业者一定要明势，不但要明政事、商事，还要明世事、人事，这应该是一个创业者的基本素质。

■ 人情练达

创业不是引"无源之水"，栽"无本之木"。每一个人创业，都必然有其凭依的条件，也就是其拥有的资源。一个创业者的素质如何，看一看其建立和拓展资源的能力就可以知道。

创业者资源，可分为外部资源和内部资源两种。内部资源主要是创业者个人的能力、其所占有的生产资料及知识技能、家族资源等。拥有一份良好的内部资源，对创业者个人来说无疑是重要的。

但外部资源的创立同样不可或缺。其中最重要的一点是人脉资源的创立，即创业者构建其人际网络或社会网络的能力。一个创业者如果不能在最短时间之内建立自己最广泛的人际网络，那他的创业一定会非常艰难，即使其初期能够依靠领先技术或者自身素质，比如吃苦耐劳或精打细算，获得某种程度上的成功，我们也可以断言他的事业一定做不大。

创业者人际资源，按其重要性来看，第一是同学资源。

在许多成功者的身后都可以看到同学的身影，有少年时代的同学，有大学时代的同学，更有各种成人班级如进修班、研修班上的同学。赫赫有名的《福布斯》中国富豪南存辉和胡成中就是小学和中学时的同学，他们一个是班长，一个是体育委员，后来两人合伙创业，在企业做大以后才分了家。腾讯的马化腾❶也是与大学同学一起创业。

实际上，同学之间本来就有守望相助的义务，在现今这个时代，带着商业或功利的目的走进学堂，也并没有什么不妥当。

同学之间因为接触比较密切，彼此比较了解，同时因为少年人不存在利害冲突，成年人则大多数从五湖四海走到一起，彼此也甚少存在利害冲突，所以友谊一般都较可靠，纯洁度更高。对于创业者来说，是值得珍惜的最重要的外部资源之一。

———————————

❶　腾讯公司董事会主席兼首席执行官。

与同学相似的，是战友；可以与同学和战友相提并论的，是同乡。共同的人文地理背景，使老乡有一种天然的亲近感。曾国藩用兵只喜欢用湖南人，中国历史上最成功的两大商帮——徽商和晋商，不管走到哪里，都是老乡拉帮结派、成群结伙的。正是同乡之间互为犄角，互为支援，才成就了晋商和徽商历史上的辉煌。同学资源和同乡资源可并称为创业者最重要的两大外部资源。

第二是职业资源。对创业者来说，效用最明显首推职业资源。所谓职业资源，即创业者在创业之前，为他人工作时所建立的各种资源，主要包括项目资源和人际资源。充分利用职业资源，从职业资源入手创业，符合创业活动"不熟不做"的教条。尤其是在国内目前还没有像美国或欧洲国家一样，普遍认同和执行"竞业避止"法则的情况下，选择从职业资源入手进行创业，已经成为许多人创业成功的捷径和法宝。前中学数学教师、"好孩子"创始人宋郑还，是通过一位学生的家长得到了第一批童车订货，这才知道世界上原来还有童车这样一个赚钱玩意儿的。同时，宋郑还做童车的第一笔资金，也是通过一位在银行做主任的学生家长获得的。如果没有学生家长的帮助，宋郑还很可能会一事无成。

第三是朋友资源。朋友应该是一个总称。同学是朋友，战友也是朋友。老乡是朋友，同事一样是朋友。一个创业者，三教九流的朋友都要交，谈得来，交得上，就好像十八般武器，到时候说不定就用上了哪般。朋友犹如资本金，对创业者来说是多多益善。"在家靠父母，出门靠朋友"，"多一个朋友多一条路"是至理名言。一个创业者如果不能交朋友，没有几个朋友，肯定只有死路一条。人际交往能力应列在创业者素质的第一位。

■ 商业嗅觉

创业者的敏感，是对外界变化的敏感，尤其是对商业机会的快速反应。

潘石屹现在是商界的红人，潘石屹成为红人有他成为红人的理由。有谁能够从别人的一句话里听出8亿元的商机，而且是隔着桌子的一句话，是几个不相干之人的一句话？

1992年，潘石屹还在海南万通集团任财务部经理。万通集团由冯仑、王功权等人于1991年在海南创立。冯仑、王功权都曾在南德集团做过事，当年都是"中国首富"牟其中的手下谋士。万通成立的头两年，通过在海南"炒楼"赚了不少钱。1992年，随着海南楼市泡沫的破灭，冯仑等人决定将万通移师北京，派潘石屹打前锋。

潘石屹奉冯仑的将令，带着5万元差旅费来到了北京。这天，他在怀柔县政府食堂吃饭，听旁边吃饭的人说，北京市给了怀柔四个定向募集资金的股份制公司指标，但没人愿意做。在深圳待过的潘石屹知道指标就是钱，他不动声色地跟怀柔县体改办主任边吃边聊："我们来做一个行不行？"体改办主任说：

"好哇，可是现在来不及了，要准备6份材料，下星期就报上去。"

潘石屹立即将这个信息告诉了冯仑，冯仑马上让他找北京市体改委的一位负责人。这位领导说："这是件好事，你们愿意做就是积极支持改革，可以给你们宽限几天。"做定向募集资金的股份制公司，按要求需要找两个"中"字头的发起单位。通过各种关系，潘石屹最后找到中国工程学会联合会和中国煤炭科学研究院作为发起单位。万事俱备，潘石屹用刚刚买的4万元一部的手机打电话问冯仑："准备做多大？"冯仑说："要和王功权商量一下。"王功权说："咱们现在做事情，肯定要上亿。"

潘石屹在电话那边催促冯仑快做决定，"这边还等着上报材料呢"。冯仑就在电话那头告诉潘石屹："8最吉利，就注册8个亿吧。"北京万通就这样，在什么都没做的情况下，拿到了8个亿的现金融资。

这就是潘石屹那个"一言8亿"的传奇故事。万通在海南做赔了本，多亏了潘石屹这一耳朵"听"来的8个亿，才有了万通的今天。后来兄弟几个又闹分家，于是诞生了潘石屹现在的红石和北京大北窑旁边的现代城。

潘石屹能赚到这笔钱不是出自偶然，而是源于他的商业敏感。

有些人的商业感觉是天生的，如胡雪岩，更多人的商业感觉则依靠后天培养。如果你有心做一个商人，你就应该像训练猎犬一样训练自己的商业感觉。良好的商业感觉，是创业者成功的最好保证。

■ 想赢也敢输

创业本身就是一项冒险活动。要有胆量，敢下注，想赢也敢输，创业是最需要强大心理承受能力的一项活动。

很多创业者在创业的道路上，都有过"惊险一跳"的经历。这一跳成功了，功成名就，白日飞升；要是跳不成，就只好自生自灭了。当年周枫带人做婷美，一个 500 万元的项目，做了两年多，花了 440 万元还是没有做成。眼看钱就快没了，合作伙伴都失去了信心，要周枫把这个项目卖了。周枫说，这么好的项目不能卖，要卖也要卖个好价钱。合作伙伴说，这样的项目怎么能卖到那么多钱，要不然你自己把这个项目买下来算了。周枫就花 5 万元钱把这个项目买下来。原来大家一起还有个合伙公司，作为代价，周枫把在这个合伙公司的利益也全部放弃了，据说损失有几千万元。单干的周枫带着 23 名员工，把自己的房子抵押了，跟几个朋友一共凑了 300 万元。他把其中 5 万元存在账上，另外的钱，他算过，一共可以在北京打两个月的广告。从当年的 11 月到 12 月底，他告诉员工，这回做成了咱们就成了，不成，你们把那 5 万元分了，算是你们的遣散费，我不欠你们的工资。咱们就这样了！这些话把他的员工感动得要哭，当时人人奋勇争先，个个无比卖力，结果婷美就成功了。周枫成了亿万富翁，他的许多员工成了千万富翁、百万富翁。现在很多大学教授、市场专家分析周枫和婷美的成功有诸多原因，其实事情没有这么复杂。说白了，不过是一个合适的产品，加上一个天性敢赌的领导，加上一些合适的营销手段，才有了这样一桩成功的案例。

创业需要胆量，需要冒险。冒险精神是创业家精神的一个重要组成部分，但创业毕竟不是赌博。创业家的冒险，迥异于冒进。什么叫冒险，什么叫冒进？冒险是为了这样一种东西，你经过努力，有可能得到，而且那东西值得你得到。否则，你只是冒进，死了都不值得。创业者一定要分清冒险与冒进的关系，要区分清楚什么是勇敢，什么是无知。无知的冒进只会使事情变得更糟，你的行为将变得毫无意义。

■ 善于分蛋糕

作为创业者，一定要懂得与他人分享。一个不懂得与他人分享的创业者，不可能将事业做大。

只有当老板舍得付出，舍得与员工分享，员工的生存需要、安全需要、尊重需要才能从老板这里都得到满足。员工出于感激，同时也因为害怕失去眼前所获得的一切，就会产生"自我实现的需要"，通过自我实现，为老板做更多的事，赚更多的钱，做更大的贡献，回报老板。这样就构成了一个企业的正向循环、良性循环。这应该是马斯洛理论在企业层面的恰当解释。

做生意的人都会算账，只不过有些人算的是大账，有些人算的是小账。商业法则：算大账的人做大生意，做大生意人；算小账的人永远只能做小生意，做小生意人。

分享不仅仅限于企业或团队内部，对创业者来说，对外部的分享有时候同样重要。在南存辉的发家史上，曾经进行过4次大规模的股权分流，从最初持股100%，到后来只持有正泰股权的28%，每一次当南存辉将自己的股权稀释，将自己的股权拿出来，分流到别人口袋里去的时候，都伴随着企业的高速成长。但是南存辉觉得自己并没有吃亏，因为蛋糕做大了，自己的相对收益虽然少了，但是绝对收益却大大地提高了。

分享不是慷慨，对创业者来说，分享是明智。

■ 自我反省

反省其实是一种学习能力。创业既然是一个不断摸索的过程，创业者就难免在此过程中不断地犯错误。反省，正是认识错误、改正错误的前提。对创业者来说，反省的过程，就是学习的过程。有没有自我反省的能力，具不具备自我反省的精神，决定了创业者能不能认识到自己所犯的错误，能不能改正所犯的错误，是否能够不断地学到新东西。

成功创业者有一个共通之处，就是都非常善于学习，非常勇于进行自我反省。

    作为一个创业者，遭遇挫折、碰上低潮都是常有的事，在这种时候，反省能力和自我反省精神能够很好地帮助你渡过难关。曾子说："吾日三省吾身。"对创业者来说，问题不是一日三省、四省吾身，而是应该时时刻刻警醒、反省自己，唯有如此，才能时刻保持清醒。

    创业者需要的是综合素质，每一项素质都很重要，不可偏废。缺少哪一项素质，将来都必然影响事业的发展。有些素质是天生的，但大多数素质可以通过后天的努力改善。如果你能够从现在做起，时时犀利，培养自己的素质，创业成功一定指日可待。

    "好的互联网创业者应该具备什么样的素质"这个问题，让我想起乔布斯在斯坦福演讲时说到的一句话："Stay hungry, stay foolish。"（求知若饥，虚心若愚。）对于每一个创业者来说，素质可以慢慢培养，能力也能一步步锻炼，唯有"追随自己的内心"这一件事不能迁就。向前走吧，把你所"具备"的，换做所有你将"需要"的。

单身创业和已婚创业哪个更好?

    最近关注到一些企业家、创业者离婚的案例。创始人的个人问题给企业造

成了重大的影响。大部分创业者都处于谈婚论嫁或刚结婚的年龄段。所以我想知道婚姻对创业有无影响？如果已经结婚，该如何处理事业与家庭的关系？

■ 结婚与创业并不矛盾

李楠[1]并不认为这是矛盾的。

但有一点要让你的女人清楚，创业意味着 7 天 × 24 小时全天候工作。自古忠孝不能两全，在现在这个时代，创业和家庭基本也不能两全。如果你女人又要求你创业成功，又要求你随叫随到，那就没法干了。

单身创业也不好，内心的恐惧和不安全感会极大地干扰创业心态，使创业从一个人生价值取向变成功利取向。

所以，我的观点是，娶一个贤妻，是创业开始的基石。家有贤妻，男人不遭横事，创业心态才能平和，才能放下所有包袱向前冲。

创业也是对婚姻的一次检阅，女人贤惠不贤惠，创业黑暗期、低潮期最能看得出来。能否相濡以沫、白头到老，这是一次考验。

创业是人生的一次涅槃，用心创业，不但会让你在事业上收获很多东西，对于人生，对于陪伴你的人，你也会从更多的角度来评价和审视。

---

[1]　石天资本副总裁，多年整合营销传播与资本运作经验，目前专注于中国发展期企业的并购和融资服务，是个Intel的铁杆粉丝，老DIYer。

女性创业？

大部分创业是不会有结果的，一个对你创业无条件支持，对结果淡然处之的贤妻，价值要远远大于你赚到的钱。也许在一次轰轰烈烈的失败之后，你会发现最珍贵的人就在你身边。也许经过一次辉煌的成功之后，你会发现用一半股份换取的一纸离婚协议书，也很值得。

> **知乎说**
>
> 创业不仅会改变使用你产品的人的生活，也会改变你身边的人的生活，你可能没有时间陪他们逛街，可能没有时间陪他们好好吃饭，你可能陪伴团队的时间多过和他们在一起的时间，但是这不是最重要的，最重要的是你需要他们的支持，需要他们的理解，需要他们在这漫漫创业道路上给予你支撑和慰藉。他们是你的父母、女友（男友）、老婆（老公），和你亲密的朋友们。

女性创业的压力和问题有哪些？

作为一个女性创业者，在创业阶段显然会比男性遇到更多的问题：如何去合理分配生活的重心，是要分配更多的时间给家庭还是更多的时间去工作，年龄到了要不要结婚，要不要生孩子……女性创业成功以后遇到的非议也可能比男性要多。看看同是女性创业者们是怎么说的。

■ 女性身体里的铁

Maggie[1]说女性创业面临着和男性同样的问题：把握企业方向、解决资金来源、发展客户渠道、做好产品定位。

但是女性由于自身性别特点在以下几方面有欠缺：

1. 女人偏感性，不够大气，纠结于细节，这些会导致决策不及时，优柔寡断，瞻前顾后；

2. 女性由于知识涉猎不广，关注政经新闻不够，加上社会阅历不足，容易造成短视和决策失误，在创新性、方向性的直觉把握上没有男性好；

3. 女性承受挫折的能力一般不强，意志不够坚定，容易打退堂鼓；

4. 女性创业很多是源于兴趣，善变的特性让兴趣能否持久成为问题，而男性创业更多是源于生存压力，有了重负，只能坚持不放弃；

5. 社会给女性创业的压力没有给男性的大，女性更多是玩玩看的心态，创业失败了，不会有人说什么，男性就不同了，创业若失败会很受挫。有句话说得好：最成功的创业者都不会需要或者寻求退路；

6. 社会对女性的分工认知偏向照顾家庭和养育儿女，若要兼顾，会非常辛苦，在体力和精力上女性不如男性，尤其在创业初期必须考虑有所取舍。

---

[1] 企业高级主管，长期在知乎的职业、职场等类话题下提供高质量回答，受到很多用户欢迎。

当然女性也有自身的优势：

1. 具有良好的沟通能力；

2. 社交能力往往比男性好。在男性社会里，女性稍微出色就会脱颖而出，很容易让客户、合作伙伴另眼相看。女性处于弱势的位置容易让男人怜香惜玉，从而在取得订单和获得支持上更有优势；

3. 女人偏感性，在员工管理方面会表现得更加人性化，具有亲和力，容易赢得员工的信任；

4. 女性擅长做行政管理，规范性和流程执行力好；

5. 女性比男性更加认真细心，考虑问题全面，女性的耐力通常比男性好。

面对女性的优势和劣势，在创业的过程中要扬长避短：

1. 在大的方向上不被眼前小利迷惑，做什么和不做什么要想清楚，并坚持下去；

2. 要有一个决策的团队和决策机制来弥补女性在决策能力上的不足；

3. 大多数女性天生技术弱势，因此须有个技术强人互补，把握公司的整体技术方向；

4. 多看财经新闻，关心政治大事，扩大知识面，不断提升自身判断能力，提高把握节奏和控制局面的能力；

5. 在工作中忽略性别；

6. 多积累一些能给你提供有益帮助的男性资源，当遇到挫折时，男性的视角和建议很有帮助；

7. 提高领导魅力，吸引优秀人才辅佐于左右；

8. 在建立起秩序、企业能正常运转后适当放权，把重点放在决策和内外沟通上，授权并信任干部，抽出时间兼顾家庭。

另外，在中国做市场和销售，某些情况下女性比较尴尬，比如很多合同的价格是在桑拿间达成的，比如要招待高端客户去KTV，比如要拼酒拿单，找个可以信任的男性销售主管非常必要。

总结下来，创业要考虑的是怎样充分利用自己的优势资源来营利，创业的路途是艰辛的，一旦开始就很难停下来。

■ "你不是女人"

在蔡肖英[1]*看来，女性创业要面临的第一条就是被无聊人"另眼相看"，觉得你肯定是没人要了才拼命去赚钱创业（在单身情况下）；作为男人，你可能不会遇到性勒索、性敲诈、性别歧视、排挤，而女人不论在创业或者晋升的时候普遍会遇到，特别在你长得不难看的情况下；体力也是个问题，很多时候你想拼命，但太累了身体会作怪。譬如内分泌失衡、月经不调、体重非正常下降，体虚到影响正常生活。*

---

[1] 商务社交网络人脉通运营总监。

女性的思路同样会干扰你。有时不是你的思路不对，但可能会在男权思维统治的社会里行不通。如果要在创业世界里生存，必须保有自己的独立想法，并尽量整合男性思维模式。

要学会忍受和淡化无处不在的男权思维压迫。善用女性优势，避开男性强硬，以四两拨千斤为妙。

但是不要逼着自己去"平衡家庭和事业"，完全做到的女人通常活得很累或很假或很自虐。事业和家庭有时只能选择一项，就看你自己给自己定位的人生价值如何。

创业的时候不要想"我是女人"，不要从自己潜意识的弱势角度去看问题，这点最重要。

最后要学会放轻松。创业成功是不分男女的，过程辛酸只有自己来调和。

创业的女人往往给人一种女强人的形象：她们不怕苦不怕累，穿着十几厘米的高跟鞋见客户拉投资，吃着泡面带领团队赶开发进度，一夜工作后，洗一把脸又容光焕发地出现在大家面前。但她们可能会遇到比男人更多的压力和问题。但那又怎样呢，有问题就解决问题，有偏见就去解决偏见。这该是每一个创业者应有的态度。

亲历者说 \\\\\\\\\\\\

创业第一年个人会发生哪些变化？

成立一家创业公司意味着个人身份也从员工或者学生转变为一位真正的创业者。一个idea产生、打磨到成熟，创业的过程非常具有魅力，但同样伴随着艰辛。

■ 挤占全部心灵

刘雁南[1]结合自己的亲身体会聊了聊。

互联网金融网站"有利网"是我的第一次创业，由我牵头在一年内从两个全职员工开始，做到了现在日均交易额过 300 万元人民币。作为一个创业公司的领导者，创业对我的改变是巨大的。

创业以后，生活和工作是真的不分家了。我曾经以为有过之前多年每周工作 100 小时的经历，适应创业的生活状态是没有问题的，事实证明我还是错了。创业对生活的改变不在于它更多地挤占了你的时间，而在于它完全占据了你的心灵……

不知不觉，创业的我，尤其是创业初期的我，再也没有像原来一样心下无事、开怀欢笑的时候了。竞争、人才、发展方向让人经常陷入焦虑的沉思，郁闷的是，沉思通常都得不出马上能解决问题的方法。

---

[1] 互联网金融公司有利网 CEO，英国华威大学经济系最高荣誉毕业（First Class with Honors）2007 年加入世界最大投资银行之一的美银美林集团，供职于其伦敦的并购部。2010 年，加入全球最大的私募股权基金德太基金（TPG，中国又称"新桥基金"）。2012 年和好友任用、吴逸然一起创办有利网。

虽说不至于食不甘味，可原来心理上的轻松是再也没有了。这对于生活质量的影响是巨大的，别人眼里，你似乎突然就变得冷漠，对其他事情漠不关心，有女朋友或是结了婚的朋友就得小心了……

■ 变胖无法逆转

既然创业严重改变了生活质量，身体自然也在发生变化。以我自己为例，在创业的前 12 个月里，竟然史无前例地重了 15 斤。究其原因无非是：1. 焦虑影响睡眠质量；2. 没时间运动；3. 不断见人，不断吃饭，不断应酬。可悲的是，现在回过头来看，这几条是没有其他解决办法的。1. 只要你是 100% 毫无保留地创业，焦虑是必然的，乐观是不可能的；2. 运动，一是没时间，二是实在没心情；3. 为了招揽人才，为了业务拓展，吃饭喝酒已经是最小的牺牲了。所以如果你不是瘦人体质，变胖是无法逆转的……

■ 无止境高压

创业的疲劳不仅仅是身体上的 。

对于 30 岁上下的创业者来说，身体上的疲劳可以较快缓解。而创业带来的疲劳是心理上的，来自于时刻紧绷的心绪，不时骚扰的突发事件，不能和任何人倾诉的压力。更要命的是：创业，尤其是作为创业公司的领导者，你要做非常多的判断和决定，而在做这些判断和决定的时候你通常都不知道它们是否正确，只能根据过去的经验理性分析。当你作为领导者需要对所有决定负责，而且市场不给你犯错机会的时候，压力是巨大的。

据说找个时间跑到海边，保持手机关机两三天，就待在酒店里跑跑步、游游泳，是个缓解心理疲倦的好选择。

■ 成长的兴奋

创业对能力的锻炼是巨大的。

作为创业公司的领导者，你掌控全局的能力将得到巨大的提升。尤其是在创业初期，你将不得不承担至少人力资源、财务、市场、战略、业务拓展、帮同事叫外卖等多个维度的工作。这对于从大公司出来、之前的经验只限于公司业务的一个很小组成部分的白领来说，有巨大挑战，但也能让人无比兴奋。

由于你实际上是大家的依靠，是公司的代言人，你在大众面前的演讲能力、调动团队积极性的能力、面对镜头的亲和力都会快速提高，也会让你终生受益匪浅。这可能是除了创业成功后的物质、心理上的满足感之外，创业最迷人的地方。

顺便说一句，创业也有助于提高你专业之外的专业能力。举个互联网公司的例子，因为要承担人力资源工作，你将必须对技术、市场、流量等专业有相当的涉猎，如若不然将会造成两个问题：1. 你无法判断什么人可以胜任什么工作（你可能连他的ID都写不出来）；2. 专业的人，尤其是牛人，会对你嗤之以鼻并不愿和你一起工作。

还记得初中语文课文吗？"故天将降大任于斯人也，必先苦其心志，劳其筋骨，饿其体肤，空乏其身，行拂乱其所为，所以动心忍性，增益其所不能。"创业不仅仅是表面的光鲜，这背后的艰辛你真的想清楚了吗？

亲历者说 \\\\\\\\\\\\\\

李开复给创业者什么建议？

在创新工场走过的这几年时间里，李开复接触了很多创业者，接触了很多优秀的创业公司，与此同时也看到了太多失败的创业教训。

■ 做有天赋做的事

创新工场刚创立的时候，我们总是觉得，作为过来人，可以想出更好的点子，把公司建好，然后去找一个CEO来经营它。但是实践后我们发现，这样打造一个公司，会碰到很多挑战。因为我们发现，真正的创业者，真正成功的公司，它的创业者和公司是深深地联系在一起的。这个创业者一定想，"这个公司就是我的生命，这个公司的点子就是我的创意，公司的成功就是个人的成功。"这样一个深度的捆绑，是非常非常重要的。

比如说创新工场里途客圈的创业者苏东。跟这个人谈到旅游的时候，他的整张脸就会亮起来，因为他是那么热爱旅游，他要打造一个很棒的旅游网站。我们还有一位创业者，平时他都非常内向，几乎不讲一句话。但是有一天当我突然跟他讲到了他的公司、项目和技术的时候，他整个人就亮了起来。那一天他突然过来，几乎要拥抱我，跟我谈他的技术。一个人在做他热爱的事情，做他真的认为这个点子、这个公司就是属于他的事情的时候，他释放的能量是巨大的。因为当你做你爱做的事情的时候，你吃饭、睡觉、洗澡的每一分钟，都在想这件事情，你不成功也很困难。

所以不要那么多地去听周围的声音，什么职业是好的，你该成为什么样的人，而要更多地去思考我擅长做什么，我爱做什么。一个成功的公司，它的CEO做的一定是他擅长的事，并且是他爱做的事。

■ 先上火箭再说

要有一个宏伟的、有价值的、有意义的方向，要在正确的时间做正确的事情，要走对方向。比如说，谷歌这样的公司，早做5年或晚做5年，都可能不会成功。但是它在正确的时间，走对了这个方向，并且给自己定了一个宏伟的目标，就是帮世界去整合所有的信息，让每一个用户都能够受益。

所以每一个成功的公司，都会把握住这样的巨大机会，而每一个成功的人其实也是一样的。不要认为一个点子就可以帮你解决所有的问题。但是你必须要有一个长远的方向，长远的目标，然后在正确的时间做正确的事情。

有一个我在微博上分享的故事，一个人在30多岁的时候曾经去问谷歌的CEO埃里克·施密特（Eric Schmidt），她说如果要从麦肯锡出来加入下一个大公司该加入什么公司。Eric给她的建议非常简单，就是在这个时代，一定要加入一个飞速成长的公司，这个就是你该走的大方向。于是她加入了谷歌，过了几年加入了脸谱网。她一次又一次地在这个建议的基础上，找到了更大的舞台，让她今天能够成为即将上市的脸谱网的首席运营官。所以一定要找到一个长远的目标，然后不断地向它迈进，这是第二点。

■ 拼点子不如拼努力

你的努力是永远不可被取代的，我们又回到前面所说的拍脑袋的点子。创新工场创立以来，碰到了无数的创业者，我甚至几乎每天都会收到邮件，说"我有一个很棒的创意，只要给我两分钟我就可以说服你"，或者是有些人在邮件中就已经开始解释了。但是当你去深度问他这个问题的时候，100 个人里有 99 个是回答不上你的问题的。也就是说，他可能只是拍脑袋想了一个点子，就认为可以像脸谱网一样做出一个社交网络来，像马化腾一样做出一个 QQ 来。其实不是这样的，绝对不是这样。也许科技进步得很快，但是努力永远不可能被任何事情所取代。

■ 目标跟随市场迭代

我们也想到是不是能做一个像苹果这样的公司，关起门来策划好一个 iPhone，3 年以后去改变世界。或者说我们是不是作为一个青年学生，可以把未来的 30 年都准备好，每 10 年达到一个什么目标。不是这样的，因为世界在变，你不可能把未来的一切都做很好的准备。所以更重要的是，当你做一个公司和产品的时候，要有一个初步的、阶段性的、针对性的目标用户，找到他的需求和痛处，解决他的问题，然后在这个基础上，越滚越大不断地迭代。

无论是做公司（尤其是互联网的公司），还是做人，都是一样，目标要宏伟，但是走出的每一步路，一定是一个非常具有针对性的、一年或者一年左右的一个短期针对性目标。达到了那个目标之后，自己走上了一个新的台阶，你可以再考虑下面走什么样的路；如果没有达到那个目标，你可以自省，是想办法让自己做得更好，还是需要找一个不同的方向。人生一定是不断地一步一步探索、迭代、学习出来的，要从碰到的每一个挫折中学习，然后得到成长。

所以我认为无论是做一个成功的创业型公司，还是做一个有潜力能成功的人，一定要有宏伟的目标，追随自己的心，做自己擅长做而且喜欢做的事情。脚踏实地地实践，然后再不断地学习、成长、迭代。

知乎说

李开复从苹果到微软，由微软入谷歌，再到最后成立创新工场为中国的青年创业者贡献自身的资源与力量，他的那句"follow your heart"一直是他动力的源泉。与其说他是创业者的导师，不如说他同样是奋斗在创业这条路上与创业者不断学习、成长、迭代的一员，在这个时代，没有更加特别的人，只有更加专注、更加踏实、更加懂得自己内心的人。

亲历者说 \\\\\\\\\\

博士辍学回国创业，王兴后悔吗？

王兴非常坚定地说：不后悔。

并不是不想读博士了所以去创业，而是因为想创业所以不能读博士了。这个前后关系是不一样的。

2003 年整天在网上逛，看到当时最早的社交网络 Friendster。Friendster 在 2002 年底兴起，到 2003 年底的时候在美国已经非常流行。他们最早实现了病毒传播，没什么广告投入就发展得非常快，而且这个服务看起来非常吸引人。之前在清华和美国的时候我认真学习了计算机网络这门课，所以对计算机网络的理解会影响我对社交网络的判断。在我的理解中，社交网络并不是一个表面的应用，而是从根本上改变信息流动方式，是一个巨大的变革，所以非常激动。

2007 年把校内卖掉后，父母问我要不要去学校把博士念完，这个毫无疑问不是我的选项之一。而且现在回头看，我认为我比之前会更加激进、更加勇敢一些。2003 到 2004 年的时候，对于念博士，我的想法是，如果你没想明白要不要念的时候，就不念，而若是念本科，没有想清念不念的时候，应该念。一个事没想清楚的时候应该向哪个偏向靠拢？现在此时此刻你问我的话，我可能会觉得本科都不需要念完。我对大学的看法是，你应该考进一个最名牌的大学，例如清华。念两年明白大学是怎么回事，过一下集体生活，就应该尽早出道。

回想自己的经历，虽然我念的是电子工程，似乎与互联网创业相关，但是我后来创业用到的东西并不是这些知识，对我最大的帮助是进清华，认识一帮身边的朋友老师，知道事情应该有高的标准。掌握一些基础的数学知识会有帮助，微积分从来没用过，但是统计概率会用到一些，所以做多数事情，应该具备好的学习能力。但是大三、大四按照原来的课程安排是专业知识，但这并不是必需的。

王兴作为国内有名的连续创业者，给我们贡献过许多优秀的产品。刚看到问题的时候也许你就能猜到他的答案，但是在他的"不后悔"之后，是清晰的目标和强烈的创业愿望。连这两条都不具备的人，任何的选择对他们来说，都是盲目的。

我不止一次看到创业者"拍脑袋"，凡事都是"我觉着吧"，而不是"用户觉着吧"。

第2章

选择方向

如何选择创业的方向?

看到各种创业公司纷纷崛起，让我不禁也有了创业的冲动，但是不知道如何选择正确的创业方向。自己熟悉领域的竞争比较了解，而不了解的方向又很难入手，担心选错了方向，造成创业失败，浪费几年光阴。创业应该选择一个熟悉的领域，还是进入以前未涉足过的领域?

■ 选方向是你的本能

周源[1]认为选择创业的方向是没有什么方法的。

---

[1] 知乎创始人兼 CEO。毕业于东南大学，软件工程专业硕士。研究生毕业后，先在上海做过软件工程师，后在杂志《IT 经理世界》做过 3 年记者。2008 年开始第一次创业，Meta 搜索。他大学时看到比尔·盖茨的《未来之路》，当时就立志做一家改变世界的科技公司。

判断大趋势、进行SWOT分析❶、寻找切入口，这些当然需要做，但创业不是择业，这些只是外因。而内因，不是方法，是种本能。我见过的创业者，不管他在做的事情我听没听过，只要听他讲，就会觉得总有机会，他热情万丈，内心燃火，谈到"那个方向"，他会两眼发光，非干不可，还要拉你入伙。我认为一个人在一段时间里，只会在一件事上进入这种状态。

柳传志决定做自主品牌PC（Personal Computer，个人电脑）那一刻，联想是一家十分厉害的代理。当时他们代理的AST❷卖火了整个中关村，继续做代理不好吗？成为中国最大的PC代理商听起来也不错啊，自己去做PC，就不怕被IBM（美国国际商用机器公司）、惠普、戴尔杀得血本无归吗？岔路口的方向，真没方法判断。唯一的答案，就是柳传志心中想要这么做。

你想要的，一定让你奇痒难耐，去说服家人，拉人入伙。如果根本没这状态，外因分析得再透彻，也是别人的创业。问自己，动力是什么。有了那个强大如风、把自己吹得站不稳、必须往前跑的动力，答案就不是一道选择题了。

■ 人生积累处寻方向

李剑波❸用他的创业经历告诉你：*你的创业方向离不开你决定创业那一刻*

❶ SWOT分析，又称态势分析，即基于内外竞争环境和条件而进行的态势分析。SWOT代表的四个字母是Strength（优势）、Weakness（劣势）、Opportunity（机会）和Threat（威胁）。——编者注

❷ AST，20世纪90年代的一个电脑品牌。

❸ 游友移动创始人，前华为工程师。

之前的人生积累，尤其是你的职业生涯的积累。

如果你的积累是工程师，我觉得你选择从解决问题的角度去创业是比较合适的。这个问题也应该是你自己本身需要解决的。更重要的是，你要多跟那些已经在创业的、创业小有所成的、创业失败的人去聊天。聊他们的项目，他们的产品，他们从 0 到 1 是怎么过来的。我创业之前聊过的朋友有：做手机做到上亿规模的，代理火控雷达做到千万规模的，做互联网品牌做到百万规模的，做二维码的，做电子商务做失败的，也有做到一年几十万规模的，还有做传统生意的。如果你足够有悟性，相信你能够从中找到你的创业方向的。

如果你的积累是文化艺术类，这块领域里小而美的创业实际案例太多了。但是我并不熟悉，你要自己去找。

切忌闭门创业。

方向是什么，方向是一种指引，就像夜空中最亮的星，让你不至于迷失在夜路；方向是什么，方向是你对自己的一种应答，你喊一声，方向应你一句，你便无怨无悔大步向前走去；方向是什么，方向是你和梦想之间的一段路，路上有困苦和艰难，但终会踏成坦途。那你该如何选择？从你的本能，从你的人生积累，从任何你能够散发出能量的地方。

如何确认用户的真实需求？

商业价值来自需求的满足。源源不断地发现需求并满足这些需求，就会源源不断地产生商业价值。但是发现需求的过程中往往伴随着很多陷阱。真需求，假需求，强需求，弱需求……一旦掉入陷阱，就会浪费大量的时间成本。

■ 找极端用户，渐进式深挖需求

YuDan❶首先明确的一点是：调查问卷是不会帮你发现需求的。

因为所有的调查问卷都是基于当前的技术和当前的市场做的，这对于洗发水之类的成熟行业很合适，而对于大部分有创新业务特别是破坏性创新（disruptive innovation）的创业公司来讲则并不适用，因为客户并不熟悉你的技术和想法，他们甚至无法理解你的意图。

在iPod发明之前，绝大部分用户永远无法理解为什么要放一个月能听的歌曲到他的MP3播放器里面。所以市场调查问卷会告诉你，绝大部分用户只要携带一天上下班路上能听的音乐就够了——如果乔布斯真的照这个思路做，他显然失去了成就今天的Apple（苹果公司）的机会。

还要明确一点，客户的需求是无限的，而你的资源是有限的，你要做的不

---

❶ 个人签名"发明家，好奇的眼"，在知乎上许多发明、创新方面的话题下有令人印象深刻的回答。

是调查所有目标市场客户的需求，并从中作出遴选。恰恰相反，你要用你有限的资源尽快找到突破口和卖点，找到一个值得深耕的市场。

第一步要做的是，按照你们创业的想法，用最快的方法做出一个非常粗糙的原型。这个原型甚至只是一个没有功能的空壳（软件用户界面或者纸板搭出来的硬件原型），让你们的团队自己用用看，把自己放在非常苛刻的客户的角度，看看是否会接受（不是接受界面本身，而是所表达的功能）。同时，用快速迭代来改进设计，比如在线募资网站Kickstarter上一个基于安卓操作系统的很有名气的游戏平台OUYA，他们的游戏手柄，就是先用木头做快速原型，在内部试用。目的是什么？在初期用尽可能小的代价，发现产品的不足，错误和不足发现得越晚，改正的代价就越昂贵。

第二步要做的是，找出具有创新意识、愿意和你一起玩的几个非典型客户，做出一个只有简单核心功能的原型请他们试用。能找到这种客户并不容易，可以有各种方式，比如向他们许诺第一批产品出来以后免费赠送给他们。但首先这些客户一定是非典型的极端客户。比如OUYA就会请一些游戏高手来试玩，OUYA的创始人就陪着一个游戏玩家一起玩游戏。这些客户是极其宝贵的，他们不仅会指出很多你没有考虑到的地方，帮你拓展思路，甚至会帮你打翻原有的设计。在这一过程中你要注意观察这些极端客户的行为，不仅听他们说，还要琢磨他们为什么这么做。在这基础上你可以发现很多新的需求，甚至产品的独到卖点，因为很多客户需求是客户自己都没有意识到的。

第三步，根据上面的需求分析，再反馈回来，做新的改进，并进一步完善产品。也就是说重复第一步和第二步。直到非常确信这就是客户想要的东西，而且产品也可以做公众测试了（可以想见，你找的那些陪你走这一程的极端用户是多么宝贵）。这时候基本功能就稳定了，但是还有很多bug（缺陷），没有关系，因为你下一步要做的是寻找更多客户验证需求，而不是debug（解决缺陷）。

第四步时，可以寻找更广泛的友好测试用户群体，通过观察和倾听，了解更多的需求。这时候大部分需求都是比较细微的，比如"那个颜色的遥控器我不喜欢"等，若有重大的需求改变，就需要做出取舍，因为这时候做改进已经非常昂贵了。向他们提问的时候多问开放型的问题，比如以why（为什么）、what（什么）、where（哪儿）、which（哪个）和how（如何）等开头的问题，而不要仅仅问"你喜欢吗"这样弱智的问题。

第五步，才是真正把产品做稳定，以及安排市场推广等常规的流程。

整个流程的思路就是先针对一群极端用户，通过看得见、摸得着的原型，渐进式地深挖用户需求，找到产品卖点和新的市场需求，在这过程中尽量把重大改进往早放；而不是针对大众市场，做一个大家都能想到的产品。这对中国的创业公司更有挑战，因为中国人不喜欢表达自己的思想，所以更需要通过观察和提出开放型的问题来理解客户需求。

上面的做法对绝大多数创业者都是适用的，即使你原来就做这一行，也千万别自以为是，认为自己已经充分理解用户需求了。要尽早接触客户，在产品还没有做出来的时候就要厚着脸皮见客户，和他讲你们的愿景和产品规划，谦虚地从他们那里学习，他们会告诉你很多有意思的信息，比如我们就曾经遇到过一个非常具有前瞻性的客户。他告诉我们，我们提的方案他以前就考虑过，而他在用的竞争对手的方案有哪些缺点让他很痛苦——还有比这个更有价值的信息吗？

■ 竞争对手是最好的老师

讲到竞争对手，实际上他们是你最好的老师。他们已经做过一轮甚至几轮市场调查，用他们的产品前仆后继地蹚出了一条血路。你一定要把市面上主要竞争对手的产品都拿来分析一下，把你自己放在用户的角度，看你能不能说服你自己，你的产品是有竞争力、有卖点的。如果连你自己都说服不了自己，那还是慎重考虑创业——别说你没有竞争对手，客户没有替代方案！你一定是在自欺欺人！如果创业还处在这个状态，真的是"盲人骑瞎马，夜半临深池"。

■ 改变生活的产品，来源于真实的生活

如何找到靠谱的用户需求，不让设计、开发资源浪费，这也是设计师 朱晨 ❶

---

❶ ThoughtWorks用户体验设计师，前腾讯CDC交互设计师，Blog：xuexiao.me。

自己特别想解决的问题。她给自己发起了一个"观察土土生活"的项目，现在有了一个很"二"的答案，就是回归"真实"的生活。

要找到需求，就观察人们现在的行为。欲望像洪水，会疯狂冲破阻拦它的一切。它会寻找堤坝最薄弱的地方，喷涌而出。所以，人们已经表现出的行为才是最能体现内心需求的。人类已经存在了几十万年，需求基本是不变的，只是行为会越来越高效。对于每一个时代而言，某种需求都会选择最便利的解决方案。人们会日复一日地使用它，以至于它太平常了，就在日常生活中，吸引不了那些梦想着用完美的创新颠覆世界的创业者。

有种需求叫"我想告诉你件事儿"，它经历了吼、喇叭、飞鸽传书、驿站、邮局、电报、电话、QQ打字、视频聊天等一系列解决方案，现在流行的是微信，那再过10年是什么呢？这个需求太平常了，平常到就是地铁上旁边那个拿着手机在打电话的人。如果你希望你的产品成为下一个时代每个人都会用的东西，就要观察在这个时代每一个人在最平常的生活里会用什么。

■ 人们为了满足需求愿意付出多大成本

人实现任何需求都是有成本的，要赔上时间、金钱、体力、精力、美好的心情……如果一件事情在现有解决方案下需要人们消耗很大成本才能搞定，那就说明这背后隐藏着巨大的需求。宽带费、加汽油、手机话费、钻戒、转户口、

FINDING the USER DEMAND

真需求，假需求，强需求，弱需求，一旦掉入陷阱，
就会浪费大量的时间成本。

跑建材市场选装修材料、排队买火车票……这么多麻烦事儿都没能阻挡消费者毅然决然的脚步，这背后不就是隐藏着巨大的需求吗？

你的新产品要是能够让大妈买菜回家路过天桥时不用再累得气喘吁吁，就等着明天全国有天桥、地铁的城市的大妈们排队来你家买新产品吧；如果你的新产品能够让每一位姑娘都穿上如定制一般的衣服，凸显婀娜性感的身材，那，我这儿还有点现金，可以投资入你的股吗？

哪里用户需求最多？"抱怨"里。如果你想要找用户需求，那就到"抱怨"声扎堆的地方。如果你想验证用户需求是否存在，那就在"抱怨"里游上一个来回。你要找到产品抱怨声最强的"深水区"，到那里去，虽然"危险"，但是最是有效。不要到"浅水"里去，"大鱼"往往不会到那里。

如何才能不被那些大的互联网公司抢占市场？

VC（Venture Capital，风险投资者）最爱问的一个问题：你这个创业项目如果腾讯跟进了，完全复制你的产品模式，你会怎么办？虽然这个问题没有标准答案，但作为创业者应该好好为自己想想如何正确看待这种竞争关系。能否在

早期就避其锋芒？

■ **从历史来看互联网创业的防御战略**

朱继玉[1]的回答是，不存在任何办法，历史机遇已经一去不复返了。

在创业者中，防御大公司竞争几乎是大家最关注的一个问题。想在互联网行业有一番大作为的人，都躲不开这个问题，始终也摆脱不了对互联网巨头的恐惧。

作为创业者，一个重要的问题是：你的目标有多大？

假如你的目标只是在街头摆个地摊，无论卖臭豆腐还是煎饼果子，你都用不着考虑这样的问题。如果你要在主要街道开个饭店宾馆，这个问题也不用花太多精力，你更应该关注的是，如何拿到资质，如何打通各种关系。如果你的目标是互联网领域，并且有更大的目标，那就继续往下看。

1. 回顾历史，学学古人的智慧

先抛开这个问题，让我们回头看看历史，虽然事情不同，但道理一样，很值得参考。

试想一下，你有幸出生在春秋之际、战国之时，看别人一方诸侯，很是眼

---

[1] 网络海报合作创业者。

馋，就想自己去找片地，也成就一方霸主。这个事历史上还真有，有个河北人叫赵佗，本是汉族人，秦国的将领，后来跑到岭南去，自己建了个南越国，称王称帝。但他是趁着秦末战乱，楚汉争霸，北面又有来自匈奴的更大的威胁，秦和汉都无暇顾及到他的情况下才成功的。否则，无论秦汉，都断不会容许他这么干。

要在战国七雄之外再建一个诸侯强国，这是任何一个诸侯国都无法容忍的。别说你想做个创业者，新造一个强国，就是七雄之中的韩国，变法之路也极其坎坷，最后功亏一篑。新军刚建好，就受到魏国攻击，向齐楚求救，齐楚也只会救一个奄奄一息的弱国小邦，而不救一个富强的小霸。秦国变法成功，一个重要的原因在于它有函谷关天险保护，山东六国对它鞭长莫及。

今时今日，生于贫寒阶层的你，能有什么作为呢？只能仰天长叹自己生不逢时，失去了随武王伐纣建功受封一方诸侯的机会吗？

事实上，春秋战国时代正是人才辈出、百家争鸣，思想文化大放异彩，金戈铁马、英雄浪漫的时代。李耳孔丘，孙膑庞涓，张仪苏秦，商鞅吴起，韩非李斯，还有"死不旋踵"的墨家，鼎盛之时，实力简直超过一方诸侯。很多人都对这些各家的代表人物如数家珍，却没有几个人能说出一两个各诸侯国的什么王或者什么侯。

我提到这些人，并不是让大家也去学他们，而是说每个时代都有每个时代独特的机会，都出现在自己独特的领域。像赵佗那样建个南越国是根本没有可能的，但是其他领域的机会却多如牛毛。三皇五帝，唐尧虞舜，靠教化百姓、种地打鱼、兴修水利，就能成就天下圣王；商汤周武，靠武力争夺天下；到了春秋战国，普通士人的机会，则在于在思想文化上开创新的学术流派。

2. 互联网领域的发展阶段

阶段一：互联网的三皇五帝时代。

这个阶段的主要任务是把新技术介绍到国内，让中国人认识互联网。这代人以海归派为代表，由于当时国内缺少互联网人才，某种程度上，海归派技术大牛通过技术传播，就能成就如当初神农伏羲一般的成就。只是现代人不信神了，技术传播也太快，才没有产生一个什么网络氏。

阶段二：互联网的诸侯争霸时代。

这个时代就是出现各种大公司的时代。搜索巨头百度、通信社交和娱乐平台腾讯、电商阿里巴巴和京东、网络新媒体新浪、客户端服务软件公司360，慢慢地形成了互联网的诸侯争霸格局，当这种格局一旦确立，任何诸侯都不会允许再崛起其他的强国，这种斗争，是你死我活的，不能指望任何人会有怜悯之心。

阶段三：互联网的百家争鸣时代。

所谓百家争鸣，是在诸侯争霸的基础上，依托他们，建立自己的商务流派。

举个例子，作为互联网新媒体的一方诸侯，新浪所提供的微博是基础服务，在此之上，存在着建立一批做专业社区运营公司的机会，比如杜蕾斯微博的背后运营团队就是一个很好的例子。这样的机会，和那些诸侯之间，是一种共生的关系。基本上，这样的机会你让诸侯们抢，他们都不抢的。

在一段时期之内，很多人对这种机会还会存在顾虑。不知那些"诸侯"是真开放，还是假开放，是不是看到其他团队在他们的平台上赚钱了，就会来抢。短期之内，这种事情是会发生的。但历史的趋势如此，最后自己到底是一方诸侯，还是一家一派，大家都会找准自己的定位，认清自己的形式的。那些诸侯要想坐稳自己的位置，走向开放是大势所趋，历史潮流是阻挡不了的。

另外，很多人觉得这样的机会毕竟仍受制于人，不甘心。但其实不是的，历史上战国七雄不过存在两百多年，而三教九流的学派中，儒道法兵，甚至阴阳五行之说，都流传千古。

互联网领域的发展，无法像历史那样泾渭分明地分成几个时期，而且各阶段还是同时进行的，但各阶段的特点还是很鲜明的。

3. 当前互联网处在诸侯争霸格局形成的晚期

我得出这样的结论是因为我看到还有一些机会产生新的诸侯。我在这里举两个例子，云计算和精准信息流，供大家在考虑自己的创业计划时做参考，但不细说。后一个正是我们目前全心做的。

云计算所提供的计算和存储能力，以及它灵活的扩展能力，是未来很多公司所需要的，另外，它的技术门槛，将大部分公司挡在门外，这些因素保证了它能成就一家巨头。而像微软、甲骨文一样的软件巨头，早已是明日黄花，以后也不再有那样的机会。社交网络方面，那是腾讯的天下，电商方面，那是阿里巴巴和京东的地盘。跑别人的地盘搞创新，那不是自寻死路嘛。

4. 自立门户，必有沃野千里 + 天险防线

看到这里，如果你还是觉得，我就是要做一方霸主，绝不做三教九流的小角色。那么，好，有志气！抛开"道"的层次上，历史机遇是不是还存在不说，咱们从"术"的层面，谈谈如何成就一方霸主的战略问题。

要做一方诸侯，你需要占据一块肥沃的地盘，足以养活数以百万计的居民，才有兵民之本，这是最关键的一点。另外，并不是每块肥沃的土地，都适合建国。你这块地盘，要能够建立起坚固的防线，即使你不能出兵逐鹿天下，但至少你要能够自保图存。诸葛亮未出茅庐，已知三分天下，就是从这两点考虑的。

举个例子，北宋建都开封，以此为中心的中原地区，沃野千里，养几千万人口都不在话下，但北宋失去了北边的长城防线，那就不是一个建国的好地方。开封附近可以说一马平川，面对北方的游牧民族，完全无险可守，游牧民族只

需几万骑兵，就可以长驱直入、横扫平原。宋室南渡后，死护襄阳也是这个道理，自古守江必先守淮，淮河防线一破，长江防线和南宋朝廷就岌岌可危了。

任何人想在互联网行业创业，都该自问一下："你找到一片肥沃的土地了吗，这块地盘有一道潼关天险或者长城防线吗？"

要做一个创业者，尤其是一个创业团队的核心掌舵人，你就首先得是一个战略家，或至少得有一个战略家出谋划策、进行指导。光找到一块地盘不行，得是一块足够肥沃、足够大的地盘，它还得有一道坚固的防线才行。随便找一块地，就想自立为王，那不是痴人说梦吗？所谓"卧榻之侧，岂容他人鼾睡"。不要听信腾讯说他们当初圈了一块地，还是一块贫瘠的荒地，那是因为那个时候，人们还没有充分认识到互联网地盘的价值，今天看，那是一块风水宝地啊。

中国改革开放30多年，互联网行业发展十几年以来，可以说发展已经成熟，竞争已经白热化。在这样的环境下，并不是说你找到一个好创意，就是一个大机会。这个创意开创的商业领域，如果不能建立起一条坚固的防线，你就不要自立了，找个合适的大公司，依托它来做这个领域的生意吧。你可以成为这个领域的技术专家、产品经理、职业高管等，但做不了这个领域的霸主。

从另一个角度来说，其他大公司如果不适时地抢占新兴市场，那他们只能像柯达公司一样，陪着胶卷相机一起走向死亡。作为创业者，你也许是为了梦想，为了做一番大事业，而那些大公司，他们只是为了生存，为了不被市场淘汰，才不得不抢你找到的新兴市场，他们更加无奈。

 《满城尽带黄金甲》里，发哥说："你想要，我可以给你。但我不给你，你不能抢。"这是皇权世界的逻辑。但是互联网世界的逻辑可能恰恰相反。只要你找对了方向，用正确的策略步步为营，那些所谓的大公司不给你的，你也能够自己抢过来。但是面对大公司的冲击，即使输，也要镇定自若，学学他们怎么做生意，怎么下好一盘大棋。

进入市场前已经有很多竞争者了，如何判断是否还值得进入？

在创业初期一定要慎重选择一个有成长空间的项目。行业前景很好的时候，创业者更容易把事做成，建立起信心。但大家往往都不是第一个进入市场的，大多数情况下市场已经存在不少的竞争者了。这时候该如何评估自己的实力以及该市场是否还值得进入呢？

■ 创业的第一步是创新

许朝军[1]：世界上不需要第二个MySpace，但是需要第一个Facebook。世界上不需要第二个Facebook，但是需要第一个Twitter。

我们做的事情是不是足够创新？是不是一片蓝海？如果已经有很多竞争者，要非常慎重地考虑你的差异化。新创造的价值是否足够显性，足够有说服力让竞争者的用户或者客户来选择你的产品。不要只是好一点儿，而是颠覆式的创新；比如我们当时做轻博客，比传统博客要好，在文艺青年市场确实很强大，但是其实在大众用户的眼里就是好一点儿，这个创新不够颠覆。

竞争者有没有做大？如果都没有做大，要好好地慎重思考是什么原因。有时候可能不一定是团队的原因，极有可能是市场的原因，一方面是市场的需求没有那么大，可能只是小众的需求；另一方面是时机还没有真正到来，如果贸然进入，也不会得到市场的认可。比如中国的Pinterest（品趣志）模式图片社交分享网站，虽然进入这个领域的资本很多，团队也很优秀，但是大家都没有做大。原因到底是什么？要慎重思考。

如果到了一个有竞争者做大，尤其是形成寡头的局面下，你若想进入，就要看你的模式有没有形成独特的竞争优势和竞争柔道。假设对手也会改变，执

---

[1] 啪啪、点点网创始人兼CEO。ChinaRen创业团队核心成员之一，曾任搜狐技术总监，盛大边锋总裁，千橡集团副总裁兼校内网负责人，领导校内网在短短时间内成为国内最大的SNS社区。

行力还很强，钱又很多，你进入时就要想得很清楚。

■ 靠细分市场立足

张根[1]*认为当市场成熟之后就会出现个性化需求，尤其是在这个个性化的年代。*

比如说在视频网站这种基本靠烧钱活下来的市场里面，不仅活下了优酷、土豆，而且还有搜狐视频、爱奇艺、乐视。市场确实只容得下一个优酷，容不下另一个土豆，但是市场还容得下一个主打美剧的，还容得下一个主打高清的，还会有通过买版权活下来的，所以这就是一个永久的矛盾，一只大象总想大而全地"一揽子"解决问题，但总有蚂蚁来解决大象看不见的地方。而且谁能保证蚂蚁不会变成下一个大象？会跳舞的大象毕竟不多见。

我们无时无刻不处在竞争之中，从一开始要跑过几亿个精子追到卵子，到高考千军万马过独木桥，我们习惯了如何在高压中脱颖而出。但当遇到一个换了包装的命题之后，又显得无所适从了。竞争规避不了，我们能做的就是让自己保持创新，保持和别人的不一样。然后习惯竞争的法则。

---

❶　这个世界上没有放诸四海而皆准的真理。

对于早期创业团队，产品推出后很容易被复制，如何建立自己的竞争壁垒？

在一个巨大的市场中，往往可以有很多公司互相竞争。早期创业者在资金劣势、人才劣势、技术劣势的情况下，定位出自己的竞争差异尤为关键。想为用户提供产品和服务，首先就要知道市场在哪、用户在哪、自己的竞争力在哪。

汪华建议一旦确认早期的用户需求，有了不错的增长之后，创业者就一定要考虑如何建立壁垒和竞争优势。

可以建立壁垒的地方有：

1. 团队人力优势

2. 产品功能优势

3. 核心技术优势

4. 内容优势

5. 资源优势

6. 渠道优势

7. 口碑品牌优势

8. 商务运营优势

9. 用户优势：用户数、关系网络，或数据

10. 生态系统优势

要分析所有潜在对手的优势和位置，对比自己的团队、用户群、资源和产品，来确立自己适合在哪里集中资源，建立壁垒。

当然人人都想要9和10。但早期团队往往只能从1、2、3、4起步，向5、6、7、8发展，最后到达9和10。一般早期团队最少要做到产品在功能和技术上比竞争对手快4~6个月，团队能力上比对手强。

建立壁垒往往可以和用户需求与技术结合，从没有壁垒的地方创造出壁垒。我当时为什么投资迅雷？在迅雷之前，下载软件除了品牌是没有壁垒的。你用网络蚂蚁，切换到flashget（下载工具网际快车）没有区别。迅雷的p2sp下载方式创建了第一个壁垒，同样下一个网页上的文件，用户群大的下载软件就是比用户群小的速度快，这样，就算有一个新软件比迅雷好，只要他的用户群比迅雷小，他就比迅雷下载速度慢，就发展不起来。迅雷就这样生生为下载软件建立了用户数壁垒。狗狗下载则从下载扩展到了资源获取的领域，创建了技术和内容的壁垒，让flashget很久都赶不上，当然后期还有商务运营的壁垒等。

如何修筑壁垒——论一个"砖瓦匠"的自我修养。这里的"自我修养"，包括你了解自身的缺陷，知道如何发挥自我优势，熟知敌我关系，知己知彼。技术是基础，那这种"自我修养"就该是上层建筑。基础决定壁垒能否建立起来，上层建筑决定你能否发展壮大。

创业早期必须重视的问题有哪些？

创业的过程，或让创业者不堪重负，或让创业者激进向前。是人都会犯错，但创业的路上没人能够提醒你应该注意重视哪些问题，往往当你重视的时候问题已经发生了。

■ 创业要顺势而为

汪华认为一定要找到一个足够大、快速增长、相对处于早期的大方向，太小太窄，太早太晚的都不合适。

找个你真正熟悉了解信任的人搭伙建团队。

创业是个艰难的过程，才认识一两天的人，哪怕相谈甚欢，也最好先花足够长的时间加深了解，建立信任，再搭伙建团队。一个人创业是个孤独的过程，两个人无论在精神、技能，还是分工上往往有更好的效果。

■ 找到一个好的产品切入点

你的产品是为谁服务的，有没有可以一句话清晰描述的明确用户群？"所有上网用户"不是答案，对于一个早期产品，最好找到一群最需要它的核心用户，试图满足越多的用户，你的产品往往会越复杂，越不能让所有人满意。

有没有可以一句话说清楚的产品核心需求和核心功能。

如果这两点不能用两句话说清楚，就不是一个好的切入点。另外不要把你自己的假定和需求当作用户的需求。

选择切入点的时候不要over fancy（独特过头）。

不是一定要做没人做过的东西，借鉴已有的应用和模式做增量创新或整合式创新其实也是一条好的路子，起码是验证过的用户需求和商业模式，只要你做出好的区隔点。可是如果你做全新的需求，最好确定这个需求一年内有明显的量，再远一点儿，最好能找到一个一年内会出现的一个中间过渡需求点。

在开始之前，还要想清楚如何推广和接触你定义的核心用户，有没有低成本的用户和流量获取渠道，根据产品不同，这个渠道可能是好的用户传播机制，SEO（Search Engine Optimization，搜索引擎优化）、SNS（社交网站）、API

（Application Programming Interface，应用程序编程接口）合作、用户数据库群发、论坛、下载站、网吧、网址站、捆绑、预置、网盟，以及App Store应用商店和朋友帮忙等。尽量利用各种开放平台。如果没有早期的低成本的用户获取或推广渠道，那除非你的产品早期可以赚钱，否则就不要做。

■ 周鸿祎的经验，不做"伤仲永"

周鸿祎[1]认为，创业先期创业者常常成了"伤仲永"。

白居易王安石曾经讲过一个"伤仲永"的故事，我也曾经遇到过这样的事情。有一年我担任黑马大赛的主评委，力排众议，把奖颁给了一个研究生做的脸部识别产品。这个东西还很早期，所以当时VC（风险投资人）给了他一些建议，要和有实力的互联网公司合作，让产品在和用户的交互过程中得到打磨、验证和提炼。但是很遗憾，他得了大奖之后，融了资，心态立马就不一样了。一年过去了，虽然没有"泯然众人矣"，但是并没有看到这个团队有任何商业上的进步。

他们的失败在于：技术可以有天才，但有些东西还是需要经验，需要积累的。这些是初次创业的创业者，特别是大学生创业者所欠缺的，却是创立一个成功的企业所必需的。

---

[1] 奇虎360公司董事长兼CEO，创建过3721公司，曾任雅虎中国区总裁，也成立了天使投资基金，希望帮助更多的创新企业获得发展的机会。

1. 好的产品不是一个灵光一闪的一蹴而就，要不断把握用户需要，不断与时俱进，小步快跑、不断打磨。所以你要有韧性，要懂得如何把握用户的需求。

2. 有了好的产品，还要有好的运营。我觉得"皇帝的女儿不愁嫁"、"酒香不怕巷子深"并不正确。你要想办法把产品推广出去，所以，光有产品和技术是不够的，要懂市场。

3. 创业最开始只要哥儿几个，搞几台电脑就能干活。但随着你事业的进一步做大，你需要去融资。如何和VC、金融大鳄打交道，拿到融资？你还要熟悉资本运作。

4. 你成功拿到1000万，这个钱该怎么花？三个人的时候干得热火朝天，但公司有了200人却几乎没有人干活了。管理对你又是一个很大的挑战。

没有学会这些，就直接去创业，就是揠苗助长。

创业像游戏里面的练级打怪一样，有很多的选择，很多的挑战，每往上走一步，你都要有一个自我的提升，很多公司都死在这个升级的路上。所以在进入游戏之前，你们需要先找一个练习场，先从一些成功的公司和成功的创业者那里汲取营养。

我在上学期间，曾两次创业失败，毕业后先加入别的公司，学习创业。这是我人生中很重要的、也是十分正确的一步。

但是如果你把创业、把成就事业当作自己的梦想。你可以一直保持创业的心态，在资源缺乏的时候，可以先和别人合作，可以先加入别人的公司，利用别人公司的资源来把事情做成功。我把这称为广义上的"创业"。

机遇永远属于有准备的人。如果这几年你通过这种广义的创业，有了更多的经验和商业积累，未来你真正自己出去单干的那一天，你能更快迎来自己的成功。

■ 李开复见过的创业失败总结

创新工场成立以来的3年多时间内，李开复见过很多创业失败的案例，即便是拿到很好投资的团队，失败的概率仍很高，总结一下，大约有以下十点理由。

1. 创业者的经验不够。

最近10家在美国上市的中国互联网企业，其CEO在创业时的平均年龄是33岁；同时，创新工场内拿到A轮的公司创始人平均年龄也约是33岁。中国特殊的教育体系和创业环境可能导致年轻的创业者面临更多的创业挑战，相比美国创业者，他们需要更多时间培养自己的情商、管理能力和社交能力，也需要更多时间积累人脉、加强执行力及组建、培养自己的创业团队。同时，中国互联网创业者还需要有足够的心态和经验去应对大公司涉足自己的创业领域。所有这些都是非常年轻的创业者很难具备的素养和经验。

2. 创业者缺乏主人翁心态。

真正的创业者要内心强大，有很强的自控能力，把公司当作自己的baby（小孩子），无论公司出现任何问题都能让员工有激情地继续工作下去；而不能试图先做一个公司，再请一位外部的职业经理人做CEO。

3. 团队缺乏信任和能力的互补。

创业团队如果由两三个彼此信任、有默契、价值观相同且能力互补的创始人构成，则可以在创业之路上彼此扶持，提高创业的成功率。需要提醒的是，为避免未来发生矛盾，创始人之间需要尽可能熟悉彼此的价值观和能力特长，并且在创业之初就谈好利益分配。

4. 创业者的执行力不足。

创业成功的关键不在于点子，而在于能否很好地执行。创业者的执行力强意味着能够深入思考自己的产品，追究每一个细节；同时有一个团队共同运营这个产品，使产品能够快速迭代。创业公司应比业内大公司更加拼命努力，而大公司出来的创业者有时会有打工者心态，总有被动完成任务的惯性，缺乏主动思考、寻找和解决问题的能力。

5. 心态浮躁，经不住诱惑，缺乏耐心，甚至只是为了钱而创业。

这样的创业公司会缺乏信念、耐心，经受不住诱惑和寂寞，甚至急于卖掉自己的公司以套现。以赚钱为唯一目标的创业者很难在创业中胜出。

6. 创业者有太多点子、不够专注。

拿到投资的创业者大都是聪明人，自然有很多好点子，并会动手实现，但这样容易分散创业的精力。在互联网创业时代，快速迭代、精益创业是有效的创业路径。而精益创业的核心，是专注做一个产品，做好后迅速推广，获得用户后，从中学到用户新的需求，再进行新的产品迭代，从而形成滚动式发展。能够精益创业的前提是，当创业者做第一个产品时，一定要专注、集中全力、不分心。

7. 更加关注技术，而没有把用户需求放在首位。

在今天，越来越多伟大的创新是从用户需求导出的，以解决用户需求为出发点。不要为了创新而创新，更好的创新方法是从解决用户需求出发。投资人不会因为创业者有领先的技术或专利而投资，他们更关心产品解决了用户的哪些需求、市场有多大、创业者的独特之处是什么，然后才会问创业者用什么技术满足了该需求。

8. 履历漂亮，但是不接地气，技术已经过时。

大公司出来的创业者往往比较官僚，而且由于以往工作的业务相对细分，自身缺乏全面的业务能力，甚至有时专攻的技术方向可能已经过时；相反，有时草根创业者会更敢于尝试、善于学习。提醒背景优秀的创业者，不要因为自己的履历很棒，就不去拓展自己的能力；不要因为自己的学历很棒，就不去学新的技术。

9. 对产品不够热爱和投入、对创业缺乏信念和执着的坚持。

创业者没能投入全力孕育产品和经营公司，创业碰到困难时，就想把公司卖掉；或者总是抱有打工者心态，希望能达到董事会的要求，得到董事会认可，而不是主动冲到创业的前沿，去做自己应该做的事情，以证明自己、得到应得的回报。

10. 直接山寨，不深入思考。

我们反对纯粹山寨国外成熟的产品，纯粹拷贝；但是不排斥创业者借用国外的产品概念，采用精益创业的模式，在产品迭代中发掘本土化的用户需求和自己的创新理念。

这些需要重视的问题也分为"很平常"和"很艰难"。"很平常"表示你一定常常遇到，但是就是有很多人在最平坦的地方跌倒，但这样的问题容易解决，只要自己稍加注意；"很艰难"表示这样的问题你可能在非常特殊的时期才会遇到，遇到之后也很难解决，对于这样的问题我们只能吸取过来者的经验，设法避开。然后再积累上一些自己遇到的"很平常"和"很艰难"，与后来者分享。

IMITATION and INNOVATION

不是一定要做没人做过的东西，借鉴已有的应用和模式
做增量创新或整合式创新其实也是一条好的路子。

如何正确看待灰色行业？

相信每个人都能从各种渠道中注意到一些灰色行业。这些灰色行业往往能在短期内带来大量的收入。但是政策不清晰，也具有潜在法律风险。作为创业者，对于这样的行业应该如何正确看待？

■ 不违法应当是底线

南瓜[1]认为创业就像一场赌博。

所谓灰色行业可能是赔率更高的赌桌，如果你的承受能力足够，不妨进入。只是你要明白，如果你可以看出这个行业有灰色部分甚至整个行业都是灰色的，那么这其中的法律风险不仅是你要承担的，你未来的投资者也会考虑。事实上有很多的VC（风险投资者）已经明确表示绝对不会碰法律风险过高的项目，而一些国际VC也是绝对不会碰那些与政府走得太近的项目。

另一方面，不违法应当是底线，在违法基础上所有的收入都是毫无意义的，赚得越多你的刑期就越长。

律师林莺[2]认为公司实际运营的过程中，需要遵循很多规则，包括法律、

---

[1] 虾米网 CEO。本名王皓，2003 年加入阿里巴巴，2008 年创办数字音乐分享网站虾米网，2012 年虾米网被阿里收购。

[2] 创新工场总法务官，在读法学博士，曾任金杜律师事务所律师，大成律师事务所合伙人，长期致力于公司、证券、基金、风险投资、重组并购等领域的法律事务。

行政法规、部门规章，甚至包括一些行业协会的规定，政府部门执行过程中的惯例、内部守则和指导性意见。

违反法律、行政法规和重要的部门规章，那就是违法，是黑色行业，而非灰色行业，这是坚决不能去触碰的。如南瓜所说，在这样基础上获得的收入是毫无意义的，也许可能一时侥幸过关、大发横财，但更有可能的是锒铛入狱、倾家荡产。

也许有人说，没错，是有这个规定，但是很多人都在做啊！很多人都在做，并不意味着你不会被抓到，也不意味着一直不会被监管、起诉，还是少一些侥幸心理吧。

也许有人说，有些法是恶法，无须遵守，例如当年的投机倒把。没错，有时候改革就是这样，是很多人在不断触碰法律底线，从而使得法律底线后退，实现改革。但是，这是以很多人的牺牲为代价的，如果你决定当这样的烈士，而且你的历史判断不错的话，从概率上说，最有可能获得的也许只是后来人的感慨和感谢了。另外，最重要的一个"但是"是，改革多年来，不同于20世纪80年代，虽然有很多可抱怨的地方，但实际上可以后退的法律底线已经很少了，以身试法来推动改革的机会非常渺茫，做这样的烈士意义不大。

所谓灰色行业，是游走在这些规则、政策边缘的行业：

1. 法律规定不明确（这里指广义上的法律，包括法律、法规、规章制度）。

不明确有几种情况：（1）有说可以做什么，但没说不能做什么；（2）有说不能做的原则，但是没有不能做的具体行为；（3）有说不能做，但界线不清晰。

——（1）基本问题不大，法无禁止不为罪，但符合第2条的情况除外。(2)、(3) 就要琢磨一下，看是否大家都在做，有没有受到处罚，或者基于国家政策判断，是否不属于危害国家安全、公众利益，是否符合国家经济发展走向的。另，与国家垄断行业竞争的，也有风险。

2. 没有明确禁止性规定，但不符合国家政策导向或者监管部门内部要求的。

——建议尽量不做，未来可能会被禁止或者追责（不一定有法律基础，但是现实中有这种情况），而且除非迅速转型，否则也没有持续发展力。

3. 有着一些部门规章、行业规定，但实际上没有被认真执行的。

——也需要琢磨一下，看层级是否较低，看是否大家都在做，有没有受到处罚，或者基于国家政策判断，是否不属于危害国家安全、公众利益，是否符合国家经济发展走向的。

4. 一些已经过期（有新规出现），但是未被废止的规定。

——虽然也有处罚的风险，但是还是有可以去和政府讨价还价的余地。

大家可以看出，灰色行业有风险，风险大小在于自己的判断力和政府的政策导向。做与不做，各位看官自己衡量吧。

对于每一个创业者来说，法律应该是底线，灰色产业虽然利润丰厚，但是风险高，对于社会存在一定隐患。如果心存侥幸，想要通过这样的途径积攒财富，那你将要面对的问题也将会接踵而至。

■ 当机会来临时，所有的付出都会得到回报

黄一孟[1]说他从 2003 年创业到现在，其实还是错失过蛮多机会的。

VeryCD（电驴）流量增长最快、Alexa 排名[2]进全球前 100 的时候，正好是 SP（移

---

[1] VeryCD、心动游戏创始人。
[2] Alexa 排名是指网站流量的世界排名。——编者注

亲历者说

互联网发展了十几年，作为从业者，你错失了哪些创业机会？

在互联网发展的十几年间，不论你是一直走在路上的创业者，还是发现这些创业者的投资人，抑或普普通通的从业者，都可能在职业和创业机会的选择上有过或多或少的遗憾，那对于你来说，你觉得在这段时间内，你错失的职业和创业机会有哪些？

动增值业务服务提供商）业务最发达收入最好的时候，但是我们当时完全没做SP广告，错过了第一个流量大规模变现的时机；

电驴软件安装量最高的时候，没有跟风做自己的网址站，而是用很低的价格把软件默认设置的主页卖给了另一个网址站。每个月捆绑网址站拿到的广告费不到 2 万元。而几年后我们在 caoz 的建议下自己做网址站，当月就有近 20 万的收入，用户累计差不多一年后就达到了每月 100 万收入。但是也已经错失了最好的时机，少了好几年的用户积累。

另外，VeryCD 其实也是最早尝试做在线视频的网站，早在土豆还在用 Windows Media Player 内嵌插件、优酷还未诞生的时候，我们就已经开始做 Flash 播放器的视频在线播放，可惜那个时候不够魄力，没有下定决心，也没有找投资支持。当然现在回想起来，以当时的能力，即使转型了做在线视频也未必成功；

创业的过程仿佛就是不断看到机会、错失机会的过程，看到 Facebook 的时候想，哎呀自己怎么没想到呢。但其实机会有的是，有了 Fackbook 以后还能有 Twitter，有了 Twitter 以后照样还能诞生照片分享软件 Instagram。每次觉得痛失某个创业机会的时候，下一个机会可能正在面前走过。所以不用太过担心，摆正心态，不断累积不断尝试，为下一个机会做好准备。当机会来临的时候，所有的付出都会得到回报，就像我们 2010 年遇到网页游戏的机会时那样。

■ 现在的弱小，未来的巨头

徐小平❶：我跟互联网关系不大，但有两件遗憾的往事可以跟大家分享一下。

1998 年前后，搜狐的最早几位创始人之一是新东方的学生，我跟他交往很多。有一次他说搜狐需要融资，激活了我身上那投资人的天性。当时我手头的总资产大概有十万美元，我就跃跃欲试，想把这个钱投给搜狐。搜狐当时穷到连新闻发布会都开不起，只能用"牛栏山二锅头"做他们的冠名赞助商。结果这个兄弟说了一句话，打消了我的念头："投资搜狐必须很小心啊……"他这么一说我就收起了自己的赌性，放弃了这个想法，但如果当时他是一个乐观主义者，鼓励我投资的话，现在的俺肯定就发财了！

还有一件事，这是 2000 年的事情。当时我的一个助理给我讲 MSN 和 QQ 的区别，我当时还真是第一次听说 QQ 和 MSN，生性关注新事物的我，对即时通信工具立即产生了强烈的兴趣。但我助理一句话，又毁了我一次发财机会，她说："一般办公室白领都用 MSN，层次比较低的人，都用 QQ……"从此，"层次比较高"的我，当然就用 MSN 啦，再也不关心 QQ，于是，QQ 后来发生的惊天动地的成功，就与我失之交臂，否则，我怎么也会在腾讯股票每股几元钱的

---

❶ 天使投资人，新东方创始人之一，曾任新东方教育科技集团董事、新东方文化发展研究院院长。创立"真格"天使投资基金。

时候买一点，然后在十几元钱的时候卖掉啊！

"错过"的这两个其实并非机会的机会，至少给了我一个非常宝贵的教训：千万别小看那些创业公司，现在看似不起眼的公司，未来可能就是搜狐、腾讯，所以，这个信念支持我做天使投资，期待着投到下一个搜狐、腾讯……即使永远投不着，也要永远投下去！

当年饭否因为一些不可控的原因被突然关掉后，美团在很短的时间里就诞生了出来，并且掀起了团购浪潮。王兴的这段转型经历很值得创业者学习。

■ 方向要与老业务内在相关

我第一反应是想搞明白怎么回事，希望能够尽快恢复运营。一方面持续努力和监管部门进行沟通，另一方面给自己定了界，希望以半年为界，不能无休止地"耗"下去。

半年之后团队就走了3个人，饭否依然没有恢复，所以我们决定要做一

亲历者说 \\\\\\\\

王兴：快速找到新方向

很多成功的创业者都经历过多次调整方向。最终做成规模赚到钱的方向往往和刚创业时的那个idea不一样。即使一个idea现在看来很正确，但在快速变化的互联网行业，也可能过不了多久就过时或者出问题了。如何快速调整找到正确的新方向呢？

个新的事情。团队之前做的都是和社会化相关的工作，不关校内还是饭否都跟 social（社交）相关，我们很直观的想法是 social 还能够和哪些地方结合。

我很相信一个事情，social 这个东西因为改变了信息的传播，所以会改变互联网方方面面的应用，我们就思考 social 跟商务怎么结合。这个时候我们看到了国外的团购网站 Groupon。我们认为它在国内是可行的。

这是一个本地消费的电子商务，需要大环境支撑。这方面已经有很多前辈，尤其是支付宝，已经在网络支付方面做了很多推动工作，让大家能够在网上支付，不然的话，美团网这个模式是不可能运转的。再加上社会化媒体和社交网络的发展，使信息的传播流动变得更容易。这两个事情一结合，就使团购这个事情从原来的不可行变得可行。

所以我们就决定做美团。从 1 月初开始做，很快就完成了开发，但正好赶上春节，所以我们就等到 3 月 4 日上线。

■ 四纵三横论

在数次创业中，王兴还总结出了"四纵三横论"。

就"四纵三横论"来说，"四纵"是指，互联网用户需求的发展方向，即获取信息、沟通互动、娱乐和商务；"三横"是指搜索、社会化网络、移动互联网等互联网技术变革的方向。而它们交织在一起，则构成了互联网未来发展的蓝图，按图索骥，能否察觉出王兴创业的下一个方向？

例如，2005 年，李彦宏将搜索与娱乐结合，推出了对百度来说的革命性产品MP3 搜索；2008 年，程炳皓将社会化网络与娱乐结合，创建了有"开心农场"的开心网；2010 年，国内团购网站的爆发则说明了社会化网络与商务结合的影响力。按"四纵三横论"推算，未来的创业机会一定在移动互联网与商务的交织点。

■ 分清强弱需求，从需求中找到新方向

奇虎的聚合门户把社区里很多好玩好看的东西搜出来整合在一起，以为是一个新的突破方向，但做失败了，周鸿祎进行了反省。

我发现这种社区类的内容，从用户需求来说，并不是一个强需求。换句话说，你来了，可能在上面浏览三个小时，但是你一连三周都不来，也不觉得丢失了什么。这种产品跟中国移动的手机报一样，移动发到你手机里，所以你才看。如果它不发给你，而是变成了一个网站，那你是不会主动到它网站上去看的。所以，这是弱需求，是锦上添花，没有它也无所谓，有它我也愿意用。

像QQ，是即时通信工具，没有了QQ就没法聊天，跟朋友们失去了联系。像搜索，没有了搜索，什么都找不到，世界一片空白。这都是强需求。安全也是一种强需求，但也是做社区搜索失败后才偶然发现它的。强需求产品可以自我发展成强大的渠道，而弱需求产品很难独立做，必须要有一个强大的渠道。比如，前面讲到的中国移动手机报，如果当年没有上亿的移动手机用户，很难做成一个上亿的产品。再比如腾讯的新闻门户，如果没有强大的客户端把它拉起来，如果不弹新闻窗，流量上不一定能超过新浪。这就是说，有时候弱需求的产品，并不是说不是好产品，但是对渠道的依赖比较大。

我当时试图从社区搜索的方向上寻求突破，一直在搜索技术上进行锤炼和改进。然而，如果从用户需求这个角度来看，从2006年到2009年，谷歌还在中国市场竞争的时候，PC（个人电脑）互联网的搜索战争已经基本结束了。换句话说，两大搜索品牌已经建立起来，任何第三方力量想再起来加入到搜索之战，其结果就像当年雅虎做搜索一样，哪怕做得再好，用户不认可你的品牌。所以这不是技术之争。腾讯也一样，拥有这么强大的用户群，经过很多年努力，也仅仅是获得了一个不大的市场份额，这并不能真正地超越竞争对手。要想超越，只能在新的领域，比如在手机领域或者跟一些新的业务相结合。

在搜索市场格局已定的情况下，我们于是向安全领域转型。于是我们重新进行自我定义，把自己定义成一个拥有强大搜索引擎技术的公司，而不是一个做搜索引擎的公司。

创新的本质问题是要容忍失败。

雷军：创新的本质是容忍失败

大家谈创新谈得太多了，把创新谈得很高尚，也把创新谈得很廉价。

雷军[1]：其实我觉得应该把创新说得简单一点，创新不就是做别人没做过的事情吗？其实很简单。但是关键是为什么创新这么稀缺？这才是大家应该讨论的问题，大家不应该讨论什么是创新，如何去创新，而是应该讨论为什么创新这么稀缺。

创新的本质是什么？从一个简单的逻辑来看这个问题，创新就是做别人没有做过的事情，它的潜台词是什么？别人为什么不做？是因为这样做很容易输，很容易失败，大家才不去做。如果这样做有很多的好处，大家一定会去这么做，一定是有很多的坏处，有很高的风险，大家才不去做。

所以创新背后的第一个词是什么呢？是有很高的风险，对于一个大公司来说，每个人在工作的过程中都在求稳，都希望成功，有很多的KPI（Key Performance Indicator，关键绩效指标），有很多考核的要求，在这种大家希望成

---

[1] 金山软件公司董事长，小米科技CEO。曾任两届海淀区政协委员，2012 年当选北京市人大代表，2013 年 2 月当选全国人大代表。

功的压力下，大家都会选择最保守的事情，肯定不会去干高风险的事情，所以创新在大公司就变得越来越稀缺。

不论在硅谷还是在全球各个地方，其实创新主要是是小公司干，因为小公司什么都没有，而大公司有品牌、有技术、有人才。小公司想生存下去，想有所突破就必须得创新。对于整个社会来说，要鼓励创新，最重要的就是要容忍创新所带来的后果，正是因为绝大部分的创新都是失败的，社会上如果没有容忍失败的环境，创新是很难持续的。

我认为大家不应该问什么是创新，而是应该问为什么中国的创新这么少？创新的本质问题是要容忍失败。只有存在一个容忍失败的大环境，整个中国的社会和工业才能往前推进。

知乎
发现更大的世界

第二部分

助跑期

DO THE RIGHTthing RIGHT at TIMEⒸ

在正确的时间做正确的事情。

第3章

找合伙人

有项目和少量投资，怎么寻找技术合伙人？

我有一个创业的项目，对于产品的功能设计、营利模式、推广营销方式都已经有了清晰的思路，也找到了少量的投资。但技术难度较大，通过社会招聘招来的人，薪资承担范围内的人水平不够，有能力的人薪资太高我支付不起，同时他们也不愿到创业公司从头做起。在哪里能找到php、iOS、Android方面的高级开发人员？如何谈能够邀请到技术高手加盟？

■ 从买衣服看如何找合伙人

Roy Li 问：找合伙人就像去店里买衣服，你在店里看到一件衣服，很喜欢，

标价 100 元，你只有 50 元，如何跟店主讨价还价买下来？

几个好用的招：

1. 店主跟你认识：熟悉创业从熟人开始不会错的；

2. 店主喜欢你，对你有兴趣：可以从志同道合、观念、思想等来发掘共同点，给对方信心；

3. 你试了衣服后，店主觉得这衣服穿你身上很合适，自己也不在乎多赚这 50 元，送个顺水人情了：如果有机会跟你共事过的人，一旦认可你了，也不会太在乎钱；

4. 你是一个名人或者品牌领袖，可以带更多的人来，把店里生意撑起来，别说 50 元，这件衣服送你都行。李开复开再低的工资手上也不会缺简历；

5. 经济危机，衣服不好卖，别的家都在降价：这种事情一般碰不上，现在工资上涨的呼声还很高，不要想了。

几个不好用的招：

1. 哭穷：没用的，别人跟你不熟的话，一般不会管你。创业的时候不要跟员工说太多自己多难做，多辛苦，别人不仅不会同情你，你还会失去士气，让他们失去信心。

2. 跟店主说，这次便宜吧，下次我多买点：效果有限，你跟员工说很多将来如何如何，画大饼，不会是很好的招数，别人看得出来你有没有给人家一个未来的能力。

3. 跟店主说，别家才 40 元啊，你这里怎么要 100 元：只要换位思考一下就会发现，这种话一般说了也白说。

▣ 从《西游记》看如何找合伙人

朱继玉想要给那些苦于要在互联网行业创业，却找不到技术合伙人的创业者说几句。

一 为什么唐僧有孙悟空合作？

你千万不要以为是唐僧说服了孙悟空，让"西天取经"这项崇高的事业，由唐僧的个人目标，变成了整个团队的共同目标。孙悟空跟着唐僧去取经，主要是因为观音和他做了个交易，他答应保唐僧，就可以被救出来，否则的话观音不会让唐僧救孙悟空，那个压帖，唐僧就根本揭不掉。再者，孙悟空有情有义，唐僧对他有脱难之恩，不守信用的话，以后就没法在神界、仙界和妖界混下去。最后，观音还给他戴了个紧箍，不去不行。除了这些，取经对他没有丝毫吸引力。取得正果，位列仙班，这些他根本就不在乎。

实际上，取经是唐王、唐僧和如来的共同心愿。唐王取经，是为了保他的江山永固，造福他的子民，开创一代盛世大观；如来取经，是为了扩张他佛教的影响力，多收香火钱；唐僧取经，是为了报答唐王知遇之恩，保他江山永固，也是为了普度众生，成就他一代大德高僧的美名，流芳百世。观音去操作这个事，那是受了如来的命令，教主有令，不得不做。孙悟空、猪八戒、沙僧、白龙马，没有一个是靠取经的崇高理想，或者位列仙班的前景吸引来的，他们都和观音有幕后交易。

二 为什么取经一定得唐僧去？

首先，唐僧在大唐（市场方）有人脉，他已经获得了大唐的官方和民间的共同认可，这一点是其他人都无法比的。其次，唐僧跟西天（供货方）有瓜葛，如来观音都很欣赏他，而且观音还可能背地里喜欢他。最后，唐僧对佛比较虔诚，职业名声好啊！想想你自己有这些吗？

即使如此，只靠这些，他依然找不到一个合作者，当然唐王会派大军保护他，但这些人都是听令行事，根本就不努力，能力也不行。而悟空他们之所以跟着去取经，前面已经说了，都和观音有幕后交易。

好了，即使你是唐僧，你需要悟空，但是悟空不需要你啊！取经成功后可以如何如何，那些废话就不用说了，悟空不在乎的。所以，你要去找到那个被压在山下、才华无法施展的悟空，把他救出来，然后给他戴个紧箍咒，此外你还得祈祷，你遇到的是个有情有义、重信守诺的悟空。光靠深情呼唤，连个屁用都没有。

在互联网行业，一个好的技术人员，有四五年经验又有悟性的，大都年薪在30万元甚至以上，不要觉得"贵"了，"便宜"的干不了创业技术核心的活。相应的界面视觉设计人才，应该也差不多。而且这些人才，根本不愁找工作，很多公司都把他们当宝贝。并不是计算机系毕业的人都能做到好的技术，能做好的，也只是其中一小部分有悟性、有天分，又肯努力的人。

目前国内外的互联网创业团队，大都是创始人本身就懂技术的。是的，你想去做个马云第二，但是技术高手可能会更喜欢自己去做李彦宏、马化腾第二。他为什么要去投靠你呢？你要给他个足够充分的理由！

"你是唐僧，那你怎么找到你的悟空？"这听起来像是一个无厘头的问题，但这确确实实是很多创业者所面临的问题。不要总是想着你"需要"什么，应该时常挖掘自己"有"什么，除了单薄的梦想以外，你可以提供给那些有着优渥工资，稳定工作的技术人哪些能够打动他们的东西。你之于其他有项目、懂营销的人有什么区别，这才是你的价值。不要夸大你将要寻找的合伙人的价值，先丰富你自己的，这才是找到技术合伙人的第一步。

DON'T DO IT JUST for the MONEY

以赚钱为唯一目标的创业者很难在创业中胜出。

想邀请一位对项目有重大价值的朋友，但他要求不错的工资，也要不错的股份，这合理吗？

我们是一家创业公司，最近正在做技术岗的招聘，面试一位应聘者时，对方要求不低于行业水平的工资，同时也要一定的公司股份，我想问这样的要求合理吗，面对这样的要求我应该如何应对？

■ 先定角色，再谈报酬

刘留[1]*觉得对于这种问题，你要做的第一件事应该是角色确认，到底是合伙人还是雇员？*

一个用指头就可以指导的定律是，给他的是股份还是期权，如果是期权或者是小于2%的股份，就应当作为雇员处理。

如果是合伙人：在初创阶段，合伙人应当承担经济上的风险，也就是说，不拿工资奖金或者少拿是完全正常的。但是在有现金收入后应该尽快恢复正常的工资水平。

如果是雇员：雇员要求比在大公司还要高的工资水平是合理的，因为他们承担了一部分的风险。风险主要包括公司倒闭所导致的失业和失业期无法得到

---

[1] Facebook软件工程师。在此之前，在UVa学习了三年半的计算机科学。2007年到2008年之间，在中国创业，主要从事大型触摸屏方面的工作。再在此之前，在清华大学念计算机科学。

正常的补助（被正常公司开除会有一到两个月的工资作为补偿），还包括在创业公司工作失败后对于雇员个人的职业计划的影响［考虑一到两年后在正常公司的晋升机会和薪资提升（每年 10% 到 20%）］。取决于授予雇员的股份和期权比例的不同，这部分的风险可以全部或者部分地通过股份或期权得到补偿。

作为雇员，参与国内的创业公司还要考虑到股权授予通常没有合法合约的保护，因此大部分雇员通常会要求替换成或者增加更直接的现金补偿（工资）来弥补这方面的风险。

创业公司的招聘最主要还是互相谈判，但是，对于雇员，创业公司不是不提供保证基本生活花销的工资水平的借口。创业公司不是保护衣，因为任何明天的饼子要在今天吃的话，在金融上，都要算折现率。

对于创业公司来说，我们常常会混淆雇员与合伙人的身份，这样造成的结果可能是，我们在互相合作的过程中造成的误会，最终一步步分裂我们的关系，造成了并不愉快且无法弥补的结果。所以从一开始，就应该分配好各自的角色，设定每一个角色应该承担的责任和应该得到怎样的福利。我们需要承诺，但是并不需要不切实际的承诺。创业公司在招聘时和应聘者的互相博弈中，不仅要让他们看见公司的"美"，也要把"丑"展现出来。

几个朋友合伙创业，如何分配股权？

创始人之间越是熟悉，越是要"先小人后君子"。很多公司最后垮掉，多半是股东的问题。有的是当蛋糕做大的时候，在切蛋糕上出了问题。有的是创始人之间遇到分歧时，过于均衡的股权导致不知道听谁的。创业早期进行约定、合理分配股权，可以在未来非常有效地保护公司以及创始人之间的关系。

■ 开诚布公谈初心

蒋亚萌[1]对于这个问题很有发言权。

有个问题：有的团队非常注意这些分配股权要素，事后依然出现了分崩离析；有的团队是拍脑袋决定的股权分配，但是一直团结到胜利的最后一刻。为什么？

这些技术性因素不是全部，甚至是次要的，人的因素才是最重要的。团队分配股权，从根本上讲是要让创始人在分配和讨论的过程中，从心眼里感觉到合理、公平，从而事后甚至忘掉这个分配，而集中精力做公司。这是最核心的，也是创始人容易忽略的。因此提一个醒，再复杂、全面的股权分配分析框架和模型，虽然有助于各方达成共识，但是绝对无法替代信任的建立。希望创始人

---

[1] 中经合创业投资合伙人。获得大连理工大学学士学位、外交学院硕士学位和哈佛商学院MBA学位。曾任阳狮锐奇大中华区数字战略和投资并购总监。

能够开诚布公地谈论自己的想法和期望，任何想法都是合理的，只要赢得你创业兄弟的由衷认可。

股权分配的本质牵扯到两个根本性问题：一个是创始人对公司的控制，一个是获取更多资源让公司成功，从而使创始人获得巨大经济回报（让有能力的人来帮你，包括找有实力的创始人和投资人）。

绝大多数情况下，对于一个创业公司的创始人，保持控制力和获得经济回报难以两全其美。因为一个初创公司需要获得外部资源来创造价值，而获取外部资源通常要求创始人削弱其控制力（例如，不做CEO，让别人加入董事会）。

教我创业学的诺姆·沃瑟曼（Noam Wasserman）教授研究了457个技术型企业，做了一个有关创始人困境的很有价值的研究。创始人需要坦诚面对自己，回答自己创业的原动力到底是什么。是获得巨大经济回报？还是按自己的意愿做事情？答案没有对错，只有是否忠于自己。答案清晰，就更容易达成自己的目标。如果两个都想要（也没有错），最后反而可能一个也得不到。回到最初的问题，只有创始人坦诚面对自己的驱动力和欲望，才能和与你挥洒青春共奋斗的创业团队建立稳固的信任。

■ 分蛋糕有技术含量

股权划分完了，必须要有相应的股权兑现约定（Vesting），否则股权的分配就没有意义。这是说，股权按照创始人在公司工作的年月数，逐步兑现给创始人。道理很简单，创业公司是做出来的，做了，应该给的股权给你；不做，应该给的不能给，因为要留给真正做了的人。一般的做法是用 4~5 年的时间来兑现。比方说，工作满一年后兑现 25%，然后可以每月兑现 2%。这是对创业公司和团队自身的保护。谁也没办法保证，几个创始人会一起做 5~7 年。事实上，绝大多数情况是某个（些）创始人由于各种原因会离开。我们不想看到的情景是，两个创始人辛苦了 5 年，终于做出了成绩。而一个干了 3 周就离开的原创始人，5 年后回来说公司 25% 是属于他的。这个事容易忽略。如果股权已经分配好，忘了谈这个事情，大家必须坐到一块，补上股权兑现的约定。

■ 智慧成果和人格魅力皆可入股

黄继新认为在新兴的互联网企业创业时，共同创始人之间的股份分配，大多数时候并不是按照出资额、技术和智慧成果来进行权衡的。

出资额：在天使投资和创投机构比较密集的科技业，大量的创业项目是从一开始就拿到投资的，创始人几乎没有放钱进去，或者即使放也是名义上的、非常少一点儿钱。

技术：互联网业是一个创新频度高、小企业成长快的行业，同时互联网技术的演进速度也是非常迅速的，互联网技术的门槛，与以硬件为主导的传统科技业相比，是日益降低的。因此随着互联网公司的不断涌现，独有的技术专利和技术机密在互联网行业越来越难形成竞争的门槛。

智慧成果：互联网业是一个拼进化速度的行业，因此一个绝佳的创意或既有的智慧成果，如果没有配上强大的执行力和自我更新能力，是很容易死得很惨的。这样的例子比比皆是。因此，共同创始人之间，影响股权分配比例的主要因素包括（但不限于）——

经验和资历的丰富度。设想：10 年从业经验、有过创业背景的 A 和在大公司工作了 4 年的 B 共同创业。

对公司未来成长的贡献。设想：一个偏渠道运营、技术门槛不高的互联网公司，由有商务推广背景的 A 和有技术背景的 B 共同创业。

获取资源的能力。设想：与大量业内优秀人才交好、熟悉产业上下游各环节，容易获得风投机构信任的 A，和一直埋头苦干、鲜少抬头看路的 B 共同创业。

对产品、用户、市场的精通和了解。设想：一个做互联网消费级产品的公司，由有在腾讯四年的负责核心产品运营经验的 A，和有在外包公司六年的项目管理经验的 B 共同创业。

热情、专注、坚定的程度。设想：疯狂地花时间去思考、研究、打磨、优化产品，即使全世界的人都怀疑他也能坚持下去的 A，和想法不多、但容易被鼓动、执行力超强的 B 共同创业。

人格魅力、领导力。设想：A 和 B 共同创业，谁更能吸引人才加入、鼓动团队的士气、给大家持续注入愿景和理想、即使在最艰苦的时候也能保持团队的凝聚力。

朋友一起创业，因为股份分配不允而闹僵，从此老死不相往来。这是电影里已经用烂了的桥段。在真实世界里，我们确实可能面对这样的情况，和几个朋友一起创业，公司成立之后应该如何分配股权，才能让每一个人都满意？即使再艰难的问题也会有方法可循，和朋友一起制订你的标准吧，不要因为感情，而破坏了感情。

想请一个资历和能力都很强的人来做创业团队的顾问，以什么形式合作会比较好？

刚刚起步的创业公司，团队内的人都是做技术的，对于技术之外的团队管理、产品推广、市场营销等方面都缺乏经验。所以想请一个资历和能力都很强的人来做我们的创业顾问，帮助我们规避掉一些创业途中的陷阱和弯路，让团队高效的运转起来，以什么形式合作比较好？

■ 让顾问加入你的事业

周源一直觉得，愿意帮助早期团队的人都不是为了具体利益，或者说如果以某种具体利益的方式来体现他的帮助，觉得会非常奇怪。

资历和能力都很强的人，可能已经什么都不缺了。愿意不愿意帮助你，最重要无非两个原因，1. 就是看好你，有精力并真想帮你；2. 看好项目，愿意参与其中。

前者的动力多半来自于交情深浅，这不可强求，每人情况都不一样。后者的动力则容易满足一些，互联网从来都是 3 年一小浪，10 年一大浪。回顾过去 10 年，有趣的产品、事情和公司是可以扳指头数出来的，如果你做的事在 10 年后就是其中一件，那谁不愿意参与其中呢？

■ 可让顾问推荐人才

在具体操作上，顾问对团队一定要真的有用，也一定要真的起作用，不然你们双方都会很难受。如果是技术上的顾问，他的工作应该包含给你推荐优秀的工程师，技术选型和架构，甚至负责一小部分关键代码的编写；如果是非技术上的顾问，他的工作应该包含给你推荐优秀的人才，把握公司节奏，对外部市场感觉敏锐，给你充当及时报警器。像这样的人，送给他一些股份是值得的，他的付出并不少。

BE a sMALLman
and then A
GENTLEMAN

创始人之间越是熟悉，越是要"先小人后君子"

■ 和顾问建立高效的沟通机制，让顾问建议有所落地

龚红兵 [1]：给人做顾问最痛苦的不是得不到钱，而是沟通障碍和对结果缺乏控制力导致失败的可能性。

公司的情况变化，顾问总不能及时获知，就无法做出正确的判断；顾问提出了建议，总得不到及时的反馈，石沉大海，这就是沟通的痛苦。

做顾问的，对团队、资源和过程没有控制的权力，提出了明智的建议，但是却被人搞砸了，这是失败的痛苦。

对于沟通机制，我建议三点：

1. 建立具有双向约束性的沟通机制

我们请过一个退休的领导做过顾问，他每周三下午过来 3 个小时。他的职责是和项目部门开会，团队要向他回顾所有的项目情况。

而他的朋友去过一家儿童社区做过顾问，每周去 2 次，主要回顾产品和 SEO 的工作，一年内他们流量增长了 6 倍。

反面的例子是，我有朋友请他去给他们公司做顾问，但他每次写邮件给公司的团队，从来没有得到任何回复，最后只能在和他聚会时谈些高端的肤浅问

---

[1] 原北极星电力网 COO. 知乎上个人介绍为，一个初学者，互联网路上走了 8 年，越走越觉得自己需要充电。喜欢和创业路上的朋友，讨论商业模式等。

题，一点忙都没有帮上。他曾经要求自己的团队在 SEO 上所有的邮件都要抄送给一个外部顾问，效果非常不错。

2. 确定具体的事情

别要想在所有的事情上都得到顾问的支持，这样其实会什么都得不到；只让顾问负责某个具体的事情，反而能够在所有事情上得到他的帮助。比方说第一个案例，顾问的职责在于支持每个项目，但是在沟通项目的过程中，自然会衍生到销售、产品、服务、合作方面的所有事情上。曾经有个百万元的项目，他们苦于找不到合适的关系切入，结果顾问介绍了一些他的朋友给他们认识。

3. 钱和回报既是必须考虑的，也是次要的

不论多少，都是有吸引力的，这意味着付出与回报，使每个人都有成就感。即使他有亿万身家，给你提供了一个建议，你回报他 100 元的月饼，这也有微小的成就感。当然，固定薪酬 + 公司业绩挂钩的额外奖金，会是一个不错的选择。更好一点的，再加上 1% 的股权，哈哈，这让我想起了李彦宏，他创业初期就为了搜索引擎的核心技术给了北大一个教授这样的股权。

■ 专业性质的技术活，用顾问效果佳

千鸟❶认为顾问咨询很不好做，真正要做好必然得投入大量精力，包括做事和自己时间管理两方面。

第一，要真正融入团队投入"做事"，而不是"指点"层面，更广、更深层面提供参考建议以供决策。可以考虑每周 1~2 天的形式，如节奏很快，短期可以 3 天，超过 3 天基本就等于全职。

第二，利益分配一般有项目薪资、月薪资、股份三种，如时间点、周期明确，建议按项目走，如不确定，按月走（基本都不确定）。常见的是月薪资＋股份的形式，纯粹薪资可能要求会比较高，顾问有了股份也可以绑定利益促进投入。

第三，产品管理、项目管理都不适合用顾问，专业性质的技术活（产品、研发两方面）用顾问效果比较好，也容易量化工作。但实际上需要"高精尖"专业技术活的产品也很少，中国的绝大多数产品到不了那个层次。

■ 维护好个人品牌，才能请到靠谱的顾问

毛述永❷也发表了自己的看法：

---

❶ 网名千鸟，现居中国北京，川东泸州人氏。Web 设计和用户体验主题网站 rexsong.com 的站长，《设计网事》（Web Design Thoughts）的作者。

❷ 创业管理 MBA，创新立方智库联盟合伙人，专业从事创业项目孵化与资本对接的管理咨询服务，为企业提供战略投融资整体解决方案。

1. 要了解对方的性格、年龄、背景、阅历、经验、工作环境、个人爱好，对方在这个阶段需要什么，除了物质利益是否还有非物质方面的需求。建议对合作伙伴进行全面并且深入的分析以后再确定合作的具体方案。

2. 假设对方能力和经验确实都很强，对方是否会因为竞争对手出更高的价钱就去帮竞争对手？如果你需要对方的指导和帮助，最重要的是尊重对方，而不纯粹是物质利益。

3. 创业阶段很多资源都是以"亲情融资"的形式获得的，而"亲情融资"的本质在于双方拥有共同的长期利益，而不是短期的利益驱动。对方真正希望看到的是项目的前景，自己在项目中起到了不可替代的作用，他的参与才有意义。

4. 其实，你能够请到这样的顾问，通常和你个人日常的人品、能力等方方面面的口碑是分不开的。一定要注意维护好个人的品牌，处理问题凡事以诚为先。海岩所著《大染坊》中陈六子结交苗瀚东的故事可供借鉴。

5. 具体的物质利益分配上，假设你希望公司如愿以偿步入健康发展，那就按照你的商业计划，将对方的预期投入、预期贡献、预期回报进行量化分析以后通过长期、短期、兼职等各种形式分期兑现。具体可以制订相关的专项薪酬体系框架，这样的好处是有据可依，对方不会就具体数字过于计较。

6. 关于情感沟通方面的利益。通常情况下，只要你能够想到的、对待自家人有效的方法（具体方式可以借鉴海底捞案例），都可以积极投入，而且，能自己出面绝不让他人代劳。关键的要点在于，如果对方真的有求于你的时候，无论事情大小，一定要倾力倾心而为。

顾问是什么？顾问是老师，顾问是市场主管，顾问是技术总监，顾问是方向建议人，顾问是发展监督者……如果你想总结，顾问可能有 100 种身份。但是你总要找出你最缺少的那种身份，然后把这个身份赋予你的顾问，何种"合作方式"可能不重要，重要的是他是否真的能够参与其中。

王兴说，现在回去看当年的创业过程，除了勇气其实一无所有。

当时我在美国看到社交网络非常激动，决定非做不可，一个人干不靠谱，就要找人一起做。我本科毕业就出国了，在国内的社会关系

亲历者说

王兴的创业搭档是怎么找到的？

大多数成功的创业公司，创始人团队都是由2~3个人组成的。创业是一个复杂的工程，在成熟的商业环境里，单枪匹马闯天下已经很难成功了。找到彼此信任并肩作战的搭档，能让创业资源更加丰富，能促进业务的快速发展。

只有同学。2003 年 11 月底 12 月初，给国内的四五个朋友发电子邮件说了社交网络有巨大的机会，有小学、初中、高中、大学同学。经过一番讨论，最先在2004 年 2 月，他和他我和我的大学同班同学、也是上下铺的哥们儿、当时在中科院读博士的王慧文，俩人决定干。2004 年 4 月份，我的高中同学赖斌强也加入了进来。他当时在北方电讯工作，北方电讯当时是一个世界五百强，现在已经破产了，所以能看出这个世界变化多么的快。

那时候也没觉得创业时什么能做什么不能做，认为创业成本比较低所以可以进行各种尝试。我们在清华北边租了一个三居室的房子，一人住一间，中间摆个桌子，就开始创业。这年头创业的门槛已经非常低了，10 年前如此，现在更是如此。服务器是自己拼装的，直到 2006 年校内网飞速发展的时候，才买了一个品牌的服务器，还是二手的。

我觉得虽然他们我们当时做事比较低效率，但是有初生牛犊不怕虎的勇气，不知道怎么做没关系，先把事情按照自己的想法做起来。

最早我们想做一个手机通信录同步的软件，因为觉得人和人的关系最重要的是存在手机通信录里面，但是做了调研后觉得环境不成熟。那个时候智能手机还很少，主要是 kjava，但是 kjava 协议非常不统一，是不能互相导入导出通信录的，就放弃了，觉得此路不通，现在有了安卓、iOS 就可以把这个事情做起来了。

当时想过的idea有一二十个，开始写代码的有五六个。王兴我们从2004年
春天开始干，折腾了一年多后第一个产品才上线。我们之前都没有开发过网站，
虽然我们是电子工程系的，但是开发网站我们并不熟悉，不会就要学，所以就
比较慢。第一个产品多多友上线的时候已经很不新鲜了，而且还很简陋。

　　创业搭档之间的关系就像两人三足，你和创业搭档的能力和
关系决定着你们能走多远。很多创业者的搭档都是身边熟悉的人，
因为这样的人更容易理解你，能够更快地融合，使大家步调一致。
接下来要做的事情并不是想着如何"转换"，而只要"做下去"。
创业路上，没有人告诉你什么时候开始，什么时候结束，你只有
一直走下去，才会知道。

MAKE A wonderful BSIN'S PR.P.SAL

"看一份商业计划书就像和一个人交谈。"把这个"人"写好，无论从内容还是风度。

第4章

初次找钱

创业是自筹资金好还是找天使投资好?

创业之前,必须筹备足够的运营资金。除了自筹资金外,也可以寻找天使投资。除了资金支持外,天使投资投资人丰富的经验与熟悉的人际关系可以给创业更多的附加价值,增加成功的概率。但是早期公司产品形态处于超早期,估值很小,融资成本比较大。很多创业者不知道如何选择,那就先听听知乎人士怎么考虑这个问题。

■ 投资人除了资金能给你更多

周源认为此事没有绝对的好与坏。

从大道理上讲，把一件事做成，需要依靠各种力量来推动，只有一枚助推器的火箭冲不出大气层。天使投资，包括 A 轮 B 轮的投资，能解决创业团队本身解决不了的问题，两方都是关键的推动因素。

创业者和投资人之间，并不是简单的资金上的合作，创业者找投资人是在寻找一个坚强的伙伴，天使阶段找的是帮助你起步的伙伴，扩张阶段寻找的是帮助你做大的伙伴。而投资人寻找的是各个领域的机会和能够挖掘机会的人，并帮助他们。

具体论到资金上的好坏，我觉得自筹资金最大的问题，是可能错失天使的助力，想想他们有可能去帮助你的竞争对手，你会失去很多资源拓展的机会；而创业者拿天使投资最大的隐患，则是在关键时刻缺乏破釜沉舟的勇气，往后一退，拍屁股走人了。

综合考虑，自筹也有大好处。

张鼎[1]*也觉得这个问题没有一个绝对的准确答案。要从你的行业、商业模式、承受风险的能力综合考量。*

自筹资金也有它的好处：

---

[1]　魔都吃货组项目发起人。

1. 启动速度快

投资人只能锦上添花，不能雪中送炭，凭一个商业计划书是拿不到天使投资的，一般都是通过靠谱的熟人牵线。如果你的项目够好，手头宽裕，未必需要纠结在早期寻找投资，时间不等人。

2. 小众领域首选

一些小众领域由于市场规模有限，很难拿到投资人的投资，但这并不影响项目本身的商业价值。

3. 项目本身能赚钱，不需要分享赚钱的方法

有些项目有很好的商业模式，不需要烧钱，也不需要做到上市，那找投资人就不是一个必选项。

■ 自筹和天使并不冲突

黄继新觉得还应该再补充一点：
自筹资金和天使投资不对立。要区分的是，拿个人的钱，还是拿机构的钱。

美国创业界通常称第一笔资金的来源为"3F"，即家人（Family）、朋友（Friends）或傻子（Fools）。

说是傻子，当然是笑话，毕竟硅谷有大量这样的"傻子"存在，并且因为他们而得到数十年的蓬勃发展。他们投资的对象，按我的习惯说，叫"五零人士"——零团队、零产品、零用户、零市场占有率、零收入。

换言之，当你什么都还没有的情况下，你要做一件事情，基本上很难让一个投资机构来给你出钱。因为既然是投资机构，那么它就有 LP（Limited Partner，有限合伙人），机构的钱是从 LP 那里募集来的，LP 的钱也不能随便给人打水漂，他们需要投资机构对钱的去处有交代、对钱的使用有预期、对未来的回报有计算。

这也是为什么美国天使投资人那么多、扮演的角色那么重要的原因，因为他们投的都是自己的钱，没有那么多繁文缛节。即使像罗恩·康威（Ron Conway）这样教父级的明星天使投资人，也从不预估自己的回报——因为太难预估了，他不可能每一个投资案子都去仔细算计——所以他都是根据谁推荐的、谁可以跟着投（顺便评估）来进行投资，这样下来，他投资的 200 多个案子就有了一个大概的存活率。

鉴于此，回到提问者的问题，当你想要找第一笔钱来启动，你要想明白，如果——

1. 这个事情发展会比较慢，需要一两年才能起势；或者

2. 这个市场规模有瓶颈，做到一定规模之后就很难再扩大；或者

3. 这个生意能迅速挣到钱，很快回笼启动资金，但增长速度不会特别高；或者

4. 任何人都帮不到你，并且任何人都不会明白你做的事情；或者

5. 这个事情一时半会儿很难评估其价值，需要先运营一段时间后再看。

那么，你很可能更需要理解你、信任你的个人来给你第一笔钱做启动资金。这个人，正如之前所言，可能是亲朋、可能是好友，也可能是某个有钱的老板，或者是某个投资机构的成员，或者是某个业内非常资深的人士。显然，后两者要比前三者对你更有帮助。

毫无疑问，机构的力量是远远大过个人的，因此，当你需要快速增长、需要有大量的业内相关资源来嫁接或者扶助，需要能够给后续融资带来帮助时，你或许就应该考虑机构了。

知乎说　　你的钱、我的钱，都是钱，但是用谁的钱这是一个问题。问题在于，在哪个时间点，用谁的钱更有优势，在于你项目的条件是否允许你对用谁的钱有所选择。如果这样的问题根本不存在，那只要是你需要，谁的钱也并不重要，只要有，拿过来开始大干一场吧。

天使投资一般占多少股份，怎么算?

天使投资（Angel Investment），是权益资本投资的一种形式，是指富有的个人出资协助具有专门技术或独特概念的原创项目或小型初创企业，进行一次性的前期投资。天使投资对创业公司投入的资金应该占多少股份，应该怎么计算?

天使估值，是个"愿打愿挨"的事。Fanlee❶对于这个问题的观点是:

■ 创业者要少拿钱、少出让股份

在我看来，天使投资的股份宜少不宜多，公司越小，越要珍惜自己的股份，因为一开始想要更多钱从而不得不出让更多股份，会对后续融资及管理团队的长远发展皆不利。所以，一般我都建议初创公司少拿钱、少出让股份。其中，隐形的一则是，对于多数初创公司来说，钱拿得多反而不知该如何真正有效地利用资本的杠杆力量，资本有时是毒药，如果利用不到位反受其害，少拿钱不仅避免了这种隐形危害，还可以循序渐进地使用资本价值，让资本跟着人走，而不是人被资本牵着走。

---

❶　天使湾创投 投资总监。

■ 天使投资占有的股份比例不要大

天使投资一般占多少股份，业内不同的天使投资人和天使投资机构有比较大的差异。所以，我也只能回答天使湾要的股份比例。天使湾只投互联网行业的天使投资，我们的上限是25%，超过这个比例，宁可不投或者调整金额和比例。最低的股份不低于8%，我们的种子项目的统一标准为8%。所以，天使湾的投资区间在8%~25%。

■ 互联网早期项目估值是愿打愿挨

互联网早期项目或种子项目怎么算股份，就涉及估值问题。总体来说，估值的专业性是较强的，越接近首次公开募股越要专业的评估模型和数据分析以供参考。但是一般来说，早期项目，尤其是种子项目是非常难以具体估值的，更多是"愿打愿挨"的局面。为何是"愿打愿挨"，又有两点原因：

1. 越早期的项目，比如一个刚上线或者刚运营不久的产品，越是没法准确评估它的价值，没有用户数，没有流量，更没有收入，没有硬性指标，那么就不得不依赖天使投资人自身对该项目或产品的专业性判断，即他认为有多少价值，而如果创业者碰到完全不懂互联网的天使投资人，那么凭感觉估值的可能性就非常大。而对于天使湾来说，他我对产品的评估价值往往又跟产品的成熟度，包括产品的架构合理性、UI（User Interface，用户界面）专业性、UE（User Experience，用户体验）交互易用性、用户需求的满足性等等相联系，而这每一个部分，天使湾与创业者之间又都会有自己的看法与判断；

2. 越早期的项目，其项目或产品的成功更多依赖于创始团队，所以大多数投资者谈投资，言必称团队比产品重要。这点基本上是一致的，所有好项目都是人做出来的，不更重视人是不可能的。那么，怎么评估一个团队的价值，甚至有些时候这个项目只有一个人，还没有团队，那么天使投资人或机构怎么来评估？在这方面，不同的天使投资人与天使投资机构之间差异也很大，因为对人的判断是最考究专业性的，很多天使投资人，完全凭个人能否被创业者说动所感染，甚至脑袋一热就投了，所以也很难来估值。作为天使湾，我们对团队的评估价值也会有自己的一些维度标准，比如团队的履历背景（包括家庭成长背景）、互联网产品的开发经验、团队成员之间的关系成分（同学？同事？朋友？认识多久？）、团队成员的各项素质测评尤其是leader（领导者）考核等，然则，这些评估价值也只是参考，无法用经济角度来予以量化。

■ 根据财务预算估值

综上所述，天使项目的估值是很难的，多数情况下是"愿打愿挨"的局面。然而，再难总要一个基本的估值依据。所以一般来说，天使湾会要求所有意向项目的创始人去做一个财务规划，这个财务规划，我会要求是 12 个月左右的财务预算，也就是未来 1 年内你大概需要多少钱。为什么是 12 个月？因为作为互联网项目，经过 1 年时间，在产品上足够可以看出有没有成长的空间，用户需不需要这样的产品。事实上很多项目做了几个月就有调整方向的，为什么？伪需求，伪方向，或时机不对，或对手太强等。创始团队大概估摸出未来 1 年的财务预算后，再综合上线产品的成熟度、团队的成熟度来做一个基本的估值反馈，其实无非是投资金额和占股比例。中间创业者如有要协商的，他们再简单、坦诚、高效地彼此沟通，最终达成意向。

另外还要提的一点是，有些项目我们其实是可以标准化的，比如有些完全还只是个 idea，但是有了相对成熟的团队，这种种子项目的估值怎么评估？这种是最最最没法评估的，你说谁能评估一个团队，事实上更多是最早 founder（创业者）脑子里的 idea（想法）价值呢？我们的做法是，统一标准,20 万元 8%，投资前估值 230 万元。是的，在你一行代码未写的情况下，一个团队一个 idea，估值 230 万元，标准化了。

I HAVE a GOOD
IDEA

"我有一个很棒的创意，只要给我两分钟我就可以说服你"

天使项目的估值很难，多数情况是"周瑜打黄盖——一个愿打，一个愿挨"。但是创业公司的估值总有一个约定俗成的依据，根据这个依据来为投资的项目估值，然后确定"天使"的价值与股份。大多数项目用同一套标准，少数项目超出标准之外，不因为别的，因为优秀。

看BP（商业计划书）的人最想从中得到的是什么？ BP 应包含哪些内容？

　　idea（想法）不能只停留在空想，更要落在纸面上。写一份商业计划书可以更加清晰地帮你整理创业思路，更可以当作见投资人的敲门砖。创业者不仅要会写商业计划书，更要写出能让VC（风险投资者）眼前一亮的BP（Business Proposal，商业计划书）。

■ 看BP就像和一个人交谈

　　从蒋亚萌的角度来说，他会看商业计划书里的两个内容：一是写了什么，二是怎么写的。

写了什么是指计划书里的事实、数据、判断和洞察。怎么写的是看背后的人是什么样的人：实事求是还是夸夸其谈，自信还是自负？严谨还是保守？激情还是鲁莽？我们可以把商业计划书想象成一个人对你讲话的内容和词语的选择、语音语调、表情和肢体语言。

写什么

一个好的计划书应该有这么几个主要方面：

1. 市场机会

首先，潜在市场机会要大，而"不要太大"。

"不要太大"的意思是说这个市场最好是有经验和洞察的创始人在大多数人还没看到之前，就发现了。巨大但是众所周知的市场可能会带来过度的投资、恶性的竞争和产业整体不良发展。这也是个市场时机的问题。

其次，公司的增长最好来自市场本身的增长，而非抢夺竞争对手的份额。

再次，公司有机会成为市场中具有支配地位的第一或第二。第三和第四一般不具备市场控制力、定价能力，因而利润等方面会大幅下降。有人说，特别是在中国做，我的公司只要在一个巨大的市场里获得2%或3%的份额就有非常不错的收入和利润了。这话可能不错，公司也是好公司。但是不一定适合风险投资。没有支配地位的公司一般难于保持风险投资所要求的高利润率、资金效率和高回报率。

2. 竞争优势

第一，一个最简单的思考竞争优势的框架：（一）用户愿意为你的产品或服务付的价格；（二）成本。一个公司要么的能够让用户为类似的服务付更多的钱，要么能以更低的成本满足需求。能做到一点就很好，能做到两点的公司少之又少。竞争优势可以写一本书，因此这里不展开讲了。创业的朋友可以仔细从这两个角度深入思考一下你熟悉的成功企业，你们的竞争优势都可以归为这两点或两点的结合。如果想多了解，可以看看迈克尔·波特（Michael Porter）那些经典的有关竞争优势的文章。

第二，竞争优势能否持续。这样公司可以在一段相当的时间内，获得超额的利润和回报。

3. 商业模型

第一，有几个收入来源、各个来源的发生时间点、收入规模和增长率、影响收入的关键要素；

第二，主要成本，哪些可变、哪些固定、成本发生的时间点和决定成本的要素；

第三，需要多少资金投入才能获得正的现金流，何时能发生，working capital（营运资本）的需求如何，何时能开始盈利；

第四，找到商业模型中最关键的那几个点，它们如何影响收入和盈利。哪些点最难于执行等。

4. 团队

我更喜欢团队在要做的方向上是有相关和相当的积累的。

5. 融资相关。

首先包括公司有一个仔细思考过的业务和产品发展计划步骤。达到每个目标需要什么样的资源和多长时间。这样团队可以以最少的稀释获得发展所需的资源。同时，也表明了团队对执行细节的把握和理解；其次要有合理的估值；最后还包括对投资人退出机制的考虑等。

怎么写

文如其人。这个我没法详细说，创业朋友是什么样的就尽量表现自我吧。这一点在计划书中的分量也是非常重要的。在面谈中，怎么说比说什么更重要。

我补充几点建议：

1. 最好的计划书要自己写。别让枪手、朋友或财务顾问代劳。他们做得最好也只能做到 80 分，能做到满分的只有你自己。原因是上面说的第二点。如果你认为自己做的是最棒的，那么仅有你自己才能写出最棒的。

2. 最好别超过 20 页。

3. 写商业计划书只是获得投资过程的一个部分。创业的朋友应该了解，获得投资的过程还包括计划书如何寄给投资人，寄给谁，通过谁介绍，面谈等内容。交往中的任何细节都会有意或无意地被加入到投资人的判断依据中。

多说了一些，希望创业的朋友不但可以了解好的计划书如何写，更重要的是用这个思路评估自己的创业的项目是否适合风险投资。希望大家能节省时间，写得更好，我们做读者的也更好过。

■ 不同天使投资人的人格类型

Roy Li 认为问题有 2 个。

问题一：

拉投资时一定要简洁，只说必须包含的：

1. 你是谁；

2. 你想解决什么问题；

3. 市场和竞争情况；

4. 怎么做。

如果你有显赫的团队，可以考虑突出你的团队。如果你是很早期的项目，你必须要强调你会如何复制扩大。比如赶集网每 10 个员工做 1 个城市的 100 万用户，那么 50 个员工可以做 10 个城市的 500 万用户。

因为这是互联网的精髓，为什么同样是赚钱，互联网比传统餐厅泡沫高，就是因为餐馆的桌子和营业时间是不可以成倍增长的，开连锁店开销又很大。投资者需要知道当规模翻一倍，你的开销会增加多少，如果也增加一倍，那么基本没人投你。

另外，最好要清楚如何营利。比如你要赚 1 亿元，你需要 100 万人每人给你 100 元，还是 1000 人每人给你 10 万元，这个是不同的。大众还是小众，垂直还是细分，个人还是企业，面向对象的年龄层都必须要写明，当然少不了描述你目标客户的消费习惯和切实的需求。根据你项目的性质，可以没有商业模式，但是没有商业模式的项目，你必须要能在短期内迅速占领市场，且需要足够的用户黏性。这个时候就要你强调产品本身以及推广的转化率，通过这个来给投资人增加信心。不要废话，投资人的兴趣最多只能持续一分半钟。关键的地方，比如你要干什么之类的，必须一句话能概括出来。如果你知道你需要多少钱的话，你就要附加上你要多少钱，怎么花，你愿意给出多少股份。（估值这个时候也出来了。）

问题二：

这个问题一般需要由业界比较资深、人脉广、跨度比较大的投资人来回答会更加全面一些。因为 BP（商业计划书）是写给 investor（投资者）看的，不同

investor喜欢不同的BP，喜欢不同风格的陈述。就好比简历应该怎么样，各人也有各人的说法。

根据江湖传言，你如果找X先生，你的BP一定要在概念上吸引人，要有意思、好玩，值得他去品味一下。大家都知道玩概念是特别烧钱的，但是X先生喜欢，他就是要找有趣的公司。在这个情况下，你的BP就要迎合他的需求。如果他觉得枯燥，你摆出再多的数据，也未必能引起他的注意。

至于L先生，你要突出基本满足他的10条，此外还要符合他乃L至先生系战略部署的需求（这是隐藏属性，他不对外说），如果你突出社区和移动平台的强大竞争力，他必然有兴趣。

孙正义是先认可你的人，认可你后，硬塞给你足够的钱，提高你对手的竞争难度，让他们知难而退，不退的话你就用软银的巨款"代表月亮消灭他"。

我接触的投资人通常都是外国人，但是以上类型的基本都包含了。

一是看数据型的，这种人趋于保守，是最常见的。

这种投资人如过江之鲫，里面不乏出众者，但是他们的投资基准更接近于实体，而不是泡沫。他们考虑的是投入和回报，多久可以回本，多久可以赢利，风险多大。他们很多时候很能磨，尽职调查（DD）的同时还要看你们增长，要对比2个月的日IP量等，非常麻烦，工作速度也慢，如果有对赌和反稀释条款存在，找这类人绝对是下策。

对于这些人，要做好数字上的功夫，往死里忽悠，BP里要用更多的图表，milestone（重大事件节点）要做好。重要条款不能随便签，忽悠到钱后要立刻变得强势，大不了跟你玩命。要学习李彦宏拍桌子大骂："再废话，大不了咱们同归于尽。"

二是理论派加半冲动型，这种人多半有勇无谋，常见于国内。

这个经常发生在一些经验不足的国内机构。看着他们把钱往水里砸，谁都看不下去。这帮人通常是半瓶子水，有些人有海归背景。这类人通常很难合理、理性地分析项目，他们更多的是崇拜和盲从一些名人，如李开复。这些机构赚钱也是通过一些人脉关系上的项目，跟政府一起捞；或者是去做跟投，总之就是不专业。但是他们给钱很大气，也会雪中送炭，经常有很多钱给了你，你不知道怎么花，你也可以"公款"奢侈一番，但是想必这不是你的目的。

想要迎合他们这样的理论派，如果面对的是海归，就突出文化和企业精神。如果是本土的，则往团队脸上贴金。不要跟他们说太多概念的东西，因为他们是无法理解的。

三是其他行业成功人士转型。

这类里面很多都是第一种人，但不同的是，他们很享受投资人高高在上的感觉，喜怒无常，经常让你有一种替他打工的感觉。他们根本不怕投资失败，但不代表他们就好忽悠。你要做的是强化BP里面他们不懂的地方，比如把技术方面复杂化，要多复杂有多复杂。Pitch（给投资人推介自己的项目）的时候对于他们的提问或者是建议、见解，你先肯定，然后再用复杂的术语进行解释，把他绕晕了就可以了。

商业计划书要先让他知道这个能赚，能出名，然后再绕他让他知道他自己搞不定，得专业人士，最后再告诉他这个东西技术复杂，但是使用起来上手很方便，比发邮件还简单，就可以了。

四是IT业成功人士。

他们投资的动机都不会是表面上那样，背后都有远期战略计划。这些人有不少是技术出身，但是很巧的是技术出身的人，往往对技术不看重。你的商业计划里面突出技术多半不是一件好事。

我当年做pitch，曾经说我QR code做动态接口应用能比谷歌先4个月出来。对方不为所动直接来一句：你有本事统一整个二维码规范，QR code算什么，我也能整。时隔几年后QR code横扫加拿大全国，在汽车，房地产都得到大量应用后，这个人依旧嘴硬，说不看好。这类成功人士多半是偏执狂，比较无奈。

对于这些人，你的BP一定要突出以下内容：市场够大，需求客观存在。别说你能创造需求，他们根本不信的，因为他们自己也创造不出需求。如果你真能创造需求请去找下一个类型的投资人。另外，要迎合他们的战略部署，比如，若是雷军，你要给他互联网或者社区的东西，最好能跟米聊结合，不能结合你也要想个办法结合，多谈资源整合。

五是娱乐型人士，啥都不懂，觉得你可以就投。

这样的人你要防范，因为他们有可能是最后一种。但是如果你做过调查，真的是这样的话，你就要突出你强大的管理能力还有个人魅力。团队很关键，你不能说公司100人，以后要招多少人，最好全部现在招好，将来主要靠内部提拔。完整的团队很容易获得这种娱乐型人士的投资。

六是孙正义。

孙正义认可你，他就会给你足够多的钱让你一统江湖。对于这样的人，你一定要突出推广、扩张计划，还要有足够客观、足够乐观的竞争分析。

七是妖怪型。

这类人大隐隐于市，随风而来，随风而去。在你郁闷的时候给你带来希望，让你内心一阵欣喜，但是回头望去，又化成一个泡泡，随波逐流。多数情况下你以为他是一个传说，但当你发现他们又出现在你的竞争对手那里，拿着你的商业计划书一页页地翻的时候，你才知道他拿走你的，不是你的时间、青春、点子，而是你的寂寞……

经常有人会跟你说他哥们儿是某某企业老总，有的是关系。钱更有的是，别说500万元，5000万元也没问题。他还会给你看公司资质，甚至公司还有运营。但是你签下去后就是不给你钱，等你找到其他公司、要融资了，突然打一笔钱给你，来跟你兑现合约。这就是一个免费骗期权的主。这样的人其实很多，不要迷恋他们。

对于这类人没什么好的对策，只有好好挑投资人。BP一般是先做个初稿，在挑好投资人后根据对方的特点来修改为最佳。好的BP很花时间，但也是一个成功的法宝。

创业的时候，让创业者头疼的事情之中，一定有写商业计划书这一件。对于投资人来说，商业计划书是对于整个项目一个很直观的考量，在整个投资过程中也占有一定的分量。而对于创业者来说，你需要在商业计划书中呈现出你的项目，让它获得投资人的青睐，这不是一件容易的事情。"看一份商业计划书就像和一个人交谈。"把这个"人"写好，无论从内容还是风度。

如果有机会和天使投资人进行面对面沟通，该准备些什么？

年轻的创业者在创业过程中会不断碰到问题。好不容易得到了天使投资人的约谈，但可能由于不了解对方思维，不了解如何和投资人沟通而浪费了机会。如果在未来证明这是一个很成功的项目，错失机会对双方来说也是非常可惜的。

韩冰 Bill[1] 会希望对方可以用 15 个字以内的简短一句话来概括这是个什么项目。

靠什么赚钱？为什么你能做成？现在做得状况如何？需要多少钱能达到你的目标？你的团队怎么样？

我很怕对方跟我谈理想，谈抱负，谈激情。谁没年轻过呢，"有理想、有抱负"只是基本，说了不会加分，不说也不会减分。但是占用的时间可是很宝贵的，人的注意力高度集中保持不了一个小时以上，还是应该把重点留在重要的东西上。

我也怕对方谈宏观数据、市场状况。因为宏观的数据有时候误差非常大，或者实效性不够好，说了半天其实就一句话，市场非常大。真的大市场即使不说也会觉得很大，不大的市场，你说出来一个数字，发现原来才这么小啊。几十个亿的市场还真不大。

还怕对方说我们没想过赢利模式。不赢利和没有赢利模式有本质不同，赢利模式的思考也能体现创业者对商业本质的认识。

也别说腾讯其实做不了，因为他们是大企业，不如我们快速。这种回答只能让人尴尬地转话题。

天使投资人的个性和喜好对投资有很大影响，没什么放之四海皆准的方法，多见几个，说不定就能碰上"对胃口"的，所以以上的建议也仅代表我的个人好恶。

---

[1] 险峰华兴创投投资经理。VC圈里自称是做EC的，电商圈说自己是做品牌的，市场圈里说自己是4A的，广告圈说自己是搞挨踢的，程序员圈里说自己学政治的，敢跟我提西方如何如何的告诉他我日语比英语好，碰到日本留学的问他你上知乎吗？

THE COMMON HEART

平常心，不吹牛，不畏惧

■ 用格局、细节和团队打动投资人

简江 ❶ *说如果沟通时间很短，只要说明两件事情：1. 你做什么事情，做这件事情有什么价值；2. 你有什么优势来做成这件事情。*

如果沟通时间比较充分，讲清楚三件事情就好：1. 你对行业的理解以及行业里面存在的问题，用户未满足的需求关键点；2. 你的解决思路是什么，用什么产品或模式来实现，以及你对细节关键点如何理解和把握，将来的竞争壁垒在哪里；3. 你们团队有什么经验或能力方面的优势去做这个事情。

其实沟通是一种能力展示，能力主要包含三方面：1. 大格局：对产业的理解，用户的理解，解决问题的清晰思路、战略发展规划和竞争应对；2. 细节把控能力：你需要举几个具体的例子来表现你在行业中的经验以及用户的了解深度，最好有之前做过的实际案例；3. 团队：团队的能力搭配是否能够满足做成这件事。

■ 平常心，不吹牛，不求人，不畏惧

李楠的建议是：

1. 做个简单清晰的PPT（演示幻灯片），10 分钟内把自己要做的事讲清楚。

---

❶ SK 电讯（中国）创业投资基金 投资副总裁。

2. 展示一下自己和团队的成色。3. 向天使提要求，除了钱以外的要求，如资源、人脉。

以我辅导创业者的经验，建议从下面七个方面来谈你的项目：1. 投资亮点。2. 公司或项目介绍（分项目简述、团队介绍、产品与技术、资质与专利、同类对比等细项）。3. 简单的行业分析，不要谈那种能百度出来的数字，要谈跟你相关的行业数字，无非就是解释三个问题：你做的这个市场有多大？有多少人在玩？你的实力怎样？ 4. 竞争优势介绍。5. 发展战略（含阶段性目标和为了实现目标的具体策略）。6. 财务预测（如果你还没有收入，就不要预测，毫无意义）。7. 融资要求与用途心态要放平稳。

人家不是来救你的，人家是来牟利的，和你一起做成一件大事、赚一大笔钱。没有人欠你的，也没有人有义务救你这个要死的项目。所以这些话不要讲：1. 急需钱，否则死。2. 你只需要给钱，别的不要管了，包在我身上。3. 不好说，也许会垮掉，也许能上市。要用合适的机会告诉潜在投资人，你的项目还不错，自己能供血，能养活自己，如果有人愿意投入钱和资源，我们一起把这个事业做大，我目前开的价格还算合适，你一定会有一个不错的回报。投资人很不喜欢自视甚高的创业者，特别是夸夸其谈说这个事谁都做不了，就他能做的人。

和投资人面谈就像是相亲，两人如果一拍即合就能马上在一起开始一段美好的爱情。但过程往往没有那么简单。可能你的一个微小的动作，一个不经意间暴露的不真诚，就会让别人在你的照片上打上一个叉。交谈的技巧学上千万遍也没有"真实"二字好使，优秀就展示优秀，不足就委婉谈谈不足，不要吹牛，不要欺骗，不要抱着机会主义去交朋友。

投资人通过哪些方面来判断一个早期创业者的好坏？

经常有许多创业者问应当如何和投资人打交道。似乎投资人都高高在上，非常忙碌，不给机会。但其实也许是并没有深入了解每个投资人。他们的喜好、思维模式、价值判断都存在差异，要想深入沟通获得融资机会，就必须了解投资人。

■ "天使"高度依赖对人的判断

张亮[1]*的答案是，天使投资高度依赖对人的判断。*

---

[1] 创新工场投资总监。毕业于中央财经大学，曾任职《环球企业家》杂志助理主编，访问量最高的中国科技博客之一Apple4.us的联合发起人，合作创建的DaCode.com 2010年初被一家中国顶级B2C公司收购。

　　所以多数天使投资是对熟人（一度空间）或熟人的朋友（二度空间）进行投资的。比如雷德·霍夫曼（Reid Hoffman）投资于社交游戏公司Zynga，是因为他和马克·平卡斯（Mark Pincus）相识多年，而他投资于脸谱网是因为他认识肖恩·帕克（Sean Parker），后者将扎克伯格推荐给他。同样的，雷军投资于陈年是因为他们合作过卓越。

　　另一方面，每个天使投资人是有各自擅长的领域的，比如 Ron Conway 投资谷歌之前投资过著名搜索引擎Ask Jeeves，所以听得懂Pagerank（网页级别）的价值，而周鸿祎对于客户端产品的深刻理解让他看得懂迅雷和Qvod（准视频点播）。在人、主题之外，硅谷最著名的天使投资人之一雷德·霍夫曼自称他只问三个核心问题：1. 你的产品创造什么价值（value proposition）？ 2. 你怎么获得大量用户（how to reach mass market）？ 3. 是否轻资本型（capital efficient）？

■ 投"天使"所好

　　陈昊芝[1]认为，天使投资人这个称呼是对个体而不是机构的，所以每个个体的偏好与风格是不同的。简单举几个例子：

　　蔡文胜 2011 年春节后传出将CNZZ出售给阿里巴巴，而安卓、iOS平台上

---

　　[1]　触控科技CEO。

"美图秀秀"上升迅速。4399 今年大力发展安卓平台的游戏业务。很多迹象都可以让你看到，蔡文胜未来大的布局是移动互联网。这就是他本人在未来项目选择上的范畴。

其次，蔡文胜拥有最大的两项资源域名互联网流量，如果和你本身的项目没有支撑关系，那他的价值如何体现呢？所以现金投资不是蔡文胜最主要价值体现方式。

最后，蔡文胜更喜欢草根或者大众市场普遍使用的应用和模式，这也是他本身经历与经营风格决定的。如果他认为对，甚至可以不看公司的 BP 甚至财务情况就决定投资。他也是比较少有凭借直觉进行决策的投资人。不过他的成功率比较高。

13 年前我曾和雷军共事，至今他的风格没有太大改变，但是格局感让人敬佩。无论多玩、小米、凡客、多看、乐淘还是优视浏览器（UCWEB），近5 年他投资的项目几乎都是两个特点：他熟悉的人或者团队，高举高打的发展方式。

虽然雷军依然被称作天使，但是他和他背后的晨兴、启明等机构已经形成了一个互信、互相支撑的关系与机制。这样的状态下，小型、短期不确定的创业项目几乎是没有沟通机会的。而且可以看到无论哪个项目，雷军一旦参与都会有一个强势介入的阶段，而团队的价值更多的是专业性，执行效率与可控。

当业务的发展进程、增长率明确后，雷军会迅速推动A轮、B轮投资。自己也会做一定比例的追加。

　　在几个知名的天使投资人中，雷军的风格是最强悍的，但是也是受到质疑最多的。因为，大量机构资金被投入到这几个项目中，目前累计已达2亿美元左右。机构是否可以真的获得较高回报退出，这两年是关键。

　　当然还有很多很多人，包括李想个人，也投资过几个团队。所以，考虑天使投资会关注什么类型的团队与项目，不如先了解不同天使投资人本身的风格与偏好。此外，很多机构目前也在逐渐渗透到早期投资，也就是单笔投资在50万美元以下的种子期。这条路上并不是只有天使投资可以选择。

> **知乎说**
>
> 　　"天使"的个性不尽相同，对于项目好坏的判断也有不同的方法。他们有各自的投资侧重点，选择的项目可能会拥有他们自身的某种气质。他们投资你，也许不仅仅因为你的项目能够带给他们回报，而是因为他们觉得你这个人靠谱，这个团队靠谱，所以无论做什么事儿也不会坏到哪里去。人总是比项目要重要。

一家公司的"估值"是怎么估出来的？谁来估？

互联网创业项目都有巨大的想象空间，但早期很难产生收入。大公司成熟的估值模式并不适用于非常早期的互联网创业公司。但是这个麻烦的问题必然要面对，有投资就必然有估值，那么对于早期的互联网公司，估值到底是怎么估出来的呢？

每个人都可以给一个互联网创业公司"估"一个价值，黄继新这样说。

当然，出钱的投资人和拿钱的创业者对其公司的估值才最重要。在给一个还没有收入或利润的早期互联网创业公司进行估值时，所参考的因素包括（但不限于）——

■ 同类型企业的估值

你的竞争对手和同行企业估值多少？你未来在用户数、活跃用户数、单用户价值、市场份额等方面是它的几倍还是几分之一？

Facebook和Twitter的投资人使用"单用户价值"来计算估值，其参照对象是谷歌，谷歌的年收入除以其用户数即得到了一个基准线。

■ 未来上市或者出售时价值

从未来那个时间点倒推，越早期的投资者，因为风险越大，需要投入的精力也越多，因此对回报的倍数要求越高。

但这个回报倍数预期并非一个天文数字，谷歌那样的几百倍回报不能作为投资的参考。一般而言，对于一个投资后期创业公司的VC（风险投资者）来说，3倍以下的回报是不值得的。比之更早的创投机构，如关注成长期和种子期的，则可类推。

对于公司的估值，用一句通俗的话说就是：是骡子是马拉出来遛遛。是马就开个高价，是骡子就给个低价甩卖掉。还有一个好方法就是和同行的马比一比，参考同行的价格定价，或者看它在未来有没有成长为千里马的潜力，有潜力的马匹总能得到好的价格。

创新工场如何为刚刚创办的创业公司估值？

创新工场（Innovation Works）由李开复创办，是一家致力于早期阶段投资，并提供全方位创业培育的投资机构。创新工场是一个全方位的创业平台，旨在培育创新人才和新一代高科技企业。像创新工场这样的早期投资机构，如何为刚刚创办的创业公司估值呢？

■ 投资就是共同创业

汪华认为，方向、创业者的素质、团队的完备程度、项目进行的阶段、市场的状况等因素，都会影响他的估值。

不过不少时候，我们的早期投资往往从（项目）只有一两个人的时候开始，这样的状态与其说是融资，不如说更像是共同创业。大家是否理念相合，彼此认可，对要做的事情是不是有共同的理想和激情，然后双方各自投入自己的资源一起做事。

成熟的创业者在早期更看重这些而不是估值。我们很多项目创业者，比如许朝军，其实可以从VC（风险投资人）那里得到高得多的估值，但还是选择了我们，主要就是认可我们提供的价值。我的很多项目，从最早的方向策略讨论，到团队建立，都是我和创业者一起参与的。

■ 创业者先自我规划

张亮一直觉得估值是个复杂的事儿。

我们争取不把这件事做复杂，比如我们不做对赌之类的。通常而言，我们的方法是，让创业者先规划一下自己接下来一段时间的预算：他可能雇多少人、租多少服务器、花多少钱能够进入下一个里程碑。最终得到一个明确的数字。

然后我们会和创业者坐下来谈，希望以这样的投资额占对方多少股份。通常，外部项目是 20%~30%。具体比率取决于很多事情，比如同行融资状况、创业者的谈判权、双方对彼此的欣赏程度。

至于有人提到点点和知乎能否类比的问题，我觉得这很难，也不重要。一方面，这两个团队的发展方向及预期是有比较大的差异的，这对融资目标的影响是比较大的。另一方面，得实话实说，许超军过去十年积累的个人信誉可以让他比较轻松地获得大规模融资，而知乎团队的小伙子们正走在创造历史、证明自己的轨道之上，心态上他们不必也不该类比。

估值的方法多种多样，不同的人会为不同的项目根据不同的场景使用不同的方法。这真是一件复杂的事儿。但是创新工场一直在争取不把这件事做复杂，把投资看成是与创业者一起创业，一起经历，给予他们能够给予的所有帮助，不仅仅是为公司估值，同样是为这一群人估值。

好的投资人应该是什么样的？

"天使投资人"的门槛其实也比较低，愿意投点闲钱就能挂个天使投资人的

title。但是有钱不代表是个好投资人。能够提供更多钱以外的附加价值，就能更
大概率地让创业者把事业做成，好的投资人到底是怎么样的呢？

投资人的好坏确实很难有定论，keso[1]说看到太多拔苗助长的投资案例，也
看到太多钩心斗角的投资案例，最终创业者和投资者两败俱伤，创业者损失了
青春和其他机会成本，投资者则未能获得预期的投资回报。

很多时候不好断言到底是投资者的责任，还是创业者的责任，或者双方的
责任。对创业者来说，大约需要想清楚这样几个方面的问题：

■ 投资人提供你所欠缺的

认为自己仅仅缺钱的创业者，基本上是不靠谱的。能够弥补创业者不足的
投资者，才是好的投资者。eBay（易趣网）从公司成立第一天就开始赚钱，但
其创始人皮埃尔·奥米迪亚（Pierre Omidyar）并不认为自己是将eBay带向伟
大的合适的管理者，他需要投资者帮他物色更好的人选。王建硕在拿风险投资
机构基准投资（Benchmark Capital）之前，约谈了Benchmark的9个合伙人，每
人一小时，问的是同一个问题：如果投资了百姓网，你能为百姓网提供何种帮
助？不同的投资者各有自己专注的领域，在该领域他们拥有丰富的经验、人脉
和资源。好的投资者能够提供的，绝不仅仅是钱。

---

[1] 知名 IT 观察家，连续 11 个月在知乎上回答过 30 多万字内容。

■ 坦诚相见，相互信任

我见过背后说投资人坏话的创业者，也见过说创业者傻的投资人，这样的关系，结果可想而知。创业者和投资者追求不同的目标，但一定有共同的阶段性利益。我反对创业者与投资者签对赌协议，因为这种协议破坏的是信任关系。好的投资者知道如何与不同性格的创业者打交道，并充分尊重创业者的不同性格。

■ 比你看得更远

投资者的丰富经验和开阔视野让他可以比创业者看得更远、更深。五年前，我曾跟今日资本的徐新聊过，她投了京东商城，是因为她坚信京东绝不仅仅是一个在线中关村卖场，而是撬动一个更大商业的基点。正是今日资本帮助京东重新梳理发展规划，这才有了今天的京东。好的投资者有时候比创业者更看好创业公司的商业前景，帮助创业者跳出自身的局限。

■ 有足够的耐心

创业者通常是浪漫的理想主义者，而投资者通常是务实的机会主义者。投资不是结婚，创业者不能要求投资者陪自己走一辈子，即便是婚姻，也是一桩注定会分手的婚姻。所以在有限时间内打磨创业公司的完美商业模式，是创业者必须认真面对的问题，即使你所做的是"地球的脉搏"这样的宏大理想，也仍然需要将理想落实为实实在在的、看得见的业绩增长。好的投资者不会扼杀创业者的理想，但会将理想纳入商业轨道，并保持足够的耐心。

■ 询问而不是否定

Roy Li 曾经"口出狂言"做出以下评论：满分 10 分的话，中国大部分的投资人只能打 4~5 分。而中国创业者大部分都在 2~3 分。

我经常看见大部分投资人用他们蹩脚的理论来嘲笑和打击创业者，创业者用他们更为蹩脚的理论来反击投资人，将本来就不好的投资环境更进一步恶化。

我见过最好的投资人的共同特点就是，他们很少否定。他们会听完你说的，然后提问，对你质疑。而不是直接就说"这个没戏，我有投过这个模式，其他人做得太多了，没有任何竞争力"等否定的言论。不专业的投资人都是以自我为中心，觉得对方的东西自己没兴趣或者是不看好的时候，就彻底否定对方，然后拍拍屁股走人。很多好项目早期没有那么吸引人，都是很简单的模式，跟别人重复，不创新，就好比美玉早期是包在石头里的，好的投资人的优势是能从石头里看到闪光点。

投资者不可能跟创业者一直走下去，但是在相当长的时间里共同利益还是会很稳定的。

■ 相信创业者比自己强

很多投资人就算不干涉事务，也总爱以创业导师自居，我非常不喜欢这个。

虽然我有时候亲自披挂上阵去改第一线的程序，但是我会尊重创业者自己的想法，并且尽可能地让他们按照自己的意思来。创业导师只能提供建议，不能以命令的口吻来干涉公司的发展。

不仅有钱，更要有眼界。

■ 尊重创业者的梦想

对于创业投资，周源心目中好的投资人是这样的：

创业者是一群只要让他看到一点希望，给他多一点鼓励，就能再发力狂奔5 000 米的人。这种原生动力和有没有人投资并不直接相关，创业者被梦想驱动。但是在商业面前，创业者想要实现的梦想往往都不堪一击：难度太大，产品缺乏想象力，市场太小或者动手太晚，大公司已经抢占先机等。

好的投资人应该尽可能尊重创业者的梦想，你可以不投资他，或者投资他并打击他，把他推进大雨中让他学会奔跑，但不要往他心里的那颗火苗上浇一瓢冷水。再小的梦想，也值得鼓励和尊重。

■ 帮助创业者提升眼界

创业者在实践中需要大量的 know-how（实际知识），实战经验的缺乏会导致目光短浅——对稍长远点的事情缺乏自信，也没有把握能力。这会造成创业者过于专注 3 丈以内的事情。好的投资人可以帮助创业者多和业内公司交流，让他去看其他公司是如何解决问题的，这会极大提升创业者对当前工作和未来发展的判断力，他如果能看到 30 丈的距离，那路也会好走很多。

成为创业者的Mentor，而不是成为创业者的BOSS。

对于创业团队来说，能得到投资当然是一件值得振奋的事情，但是团队与投资人的关系很微妙。因为你们不是雇佣关系，也不仅仅是金钱关系。好的投资人不仅能带给你金钱，还能带给你丰厚的人脉和更加宽阔的市场眼界。好的投资人能给你的，比你自己想象的要更多。

成为创业者的导师，而不是成为创业者的老板。

年轻的创业者，怎样才能比较容易地拿到风险投资和天使投资？

每一个初出茅庐的创业者在融资这件事情上都不会太顺利。拜访多少个投资人就有多少次被拒绝。这主要是经验问题，甚至和产品团队实力都没有太多的关系。但资源总是僧多粥少，机会非常有限，要想打动风险投资人，就必须做好足够的准备。

■ 想法和产品成熟，换钱更踏实

对于互联网的团队，胡博予[1]的建议是：

如果有想法，有执行力很强的团队，也有被用户验证了的产品，投资人会找你的。

有团队、有产品，但还没有用户，建议先小范围推广测试一下。

如果有想法、有团队、没产品，建议先勒紧裤腰带，开发产品。

如果核心团队搭建不齐，建议还是先积累一段时间再说，比如加入一个像百度、腾讯这样的公司。

如果想法都还没有成熟，建议不要梦想能融到资、大干一把，先想想要不要创业，这不是一条轻松的道路！

---

[1] DCM 投资副总裁。

■ 投资人会用挑股票的方法挑你

黄宽[1]觉得这个问题的答案很简单：想想你如果是投资人，你是怎么挑选团队投资的？这和挑股票是一样的道理。

1. 之前创业成功过的人——做出产品，找到用户，成功融到资（不是那种小天使级别，至少是 A 轮），最后还把公司卖了个好价钱。这种人，投资人会找你。如果你再次创业，只要有不错的想法和团队，投资人都会想把钱塞给你。

2. 第一次创业的人：没什么好说的。做个demo（产品原型）是最起码的。不要指望自己的想法有多了不起。这么说吧，绝大部分想法，这个世界上至少有 10 个团队在做，有了demo，再考虑如何去问天使要钱。什么商业计划、设计图、激情等都是纸上谈兵。即使投资人和你见面，很多时候也是想看看你的想法有没有值得他们借鉴的。所以，没有demo，不要浪费时间。

对于年轻的创业者来说，你们没有广博的人脉，没有曾经创业的经验，甚至可能连找到投资的途径都没有。但你们知道自己除了改变世界的梦想之外，还应该考虑如何让自己的产品"生下来"，并"活下去"。如何获得投资，先得学会投资自己，投资团队。

---

❶　常驻纽约的连续创业人。

天使投资、VC（风险投资）、PE（私募股权投资）介入企业的节点是什么样的？分别起什么作用？

对于天使投资、VC、PE来说，何时介入企业，介入之后应该对企业起到什么样的作用，在什么时间点介入能把这种作用最大化，这不仅仅是投资者需要考虑的问题，同时也是创业者需要考虑的问题。

■ 用发展眼光看投资介入时间

林莺律师觉得这个问题应该分类来说。

天使投资：

公司初创、起步期，还没有成熟的商业计划、团队、经营模式，很多事情都在摸索，所以，很多天使投资人都是熟人、朋友，基于对人的信任而投资。

熟人、朋友做天使投资人的作用往往只是帮助创业者获得启动资金；而成熟的天使投资人或者天使投资机构的投资，则除了上面的作用外，还会帮助创业者寻找方向、提供指导（包括管理、市场、产品各个方面）、提供资源和渠道。

VC：（风险投资）

公司发展中早期，有了比较成熟的商业计划、经营模式，已经初见营利的端倪，有的VC还会要求已经有了盈利或者收入达到什么规模。

VC在这个时候进入非常关键，可以起到为公司提升价值的作用，包括能帮助其获得资本市场的认可，为后续融资奠定基础；使公司获得资金，进一步开拓市场，尤其是最需要烧钱的时候；提供一定的渠道，帮助公司拓展市场。

PE：（私募股权投资）

一般是筹备上市时期、公司发展成熟期，这时，公司已经有了上市的基础，达到了PE要求的收入或者盈利。

通常要提供必要的资金和经验帮助完成IPO（首次公开募股）所需要的重组架构，提供上市融资前所需要的资金，按照上市公司的要求帮助公司梳理治理结构、赢利模式、募集项目，以便能使得公司在1~3年内上市。这个时候选择PE需要谨慎，没有特别声望或者手段可以帮助公司解决上市问题的PE，或者不能提供大量资金解决上市前的资金需求的PE，就不是特别必要了。

■ 根据国情来看投资介入时间

Raymond Wang[1] *在林律师的基础上稍作补充：*

1. 在中国，VC和PE的区分很模糊，这两个概念在大部分环境下能交替使用。其中的原因在于中国没有足够的技术创新企业适合风险投资，所以很多风

---

[1]　安理律师事务所合伙人，知乎上法律、创业法务、融资话题下长期孜孜不倦回答问题的。

投都在投快速增长的传统产业。

2. 在国际用法中,风险投资一般被认为是指对具有高成长潜力的小型企业的私募交易的早期股权投资,可以包括种子期、成长期和公开发行前的融资。风险投资可以说是私募股权投资的一个分支。风险投资在公司决策上通常比较积极,任命公司董事并在投资期执行严格监督。他们通过帮助企业带来一定的可信度。

3. 广义的私募股权投资是指对未在证券市场交易企业进行的投资,包括夹层融资、收购重组等多种形式。私募股权通常专注于更加大型和成熟的企业,包括在一些案例中将上市公司转变为私人所有权结构。私募股权进行的复杂交易中,往往采用大规模的杠杆融资。

4. 从募集金额来说,VC募集的规模通常在3 000万美元至3亿美元之间,单笔投资额比天使投资的金额高,但通常低于私募股权基金的投资额。PE募集的规模通常在1亿美元至20亿美元之间,单笔投资额通常在1 000万美元至1亿美元之间。

创业公司的发展就像竹子一样，有一节一节的节点式阶段。天使、VC、PE何时介入才能让公司的发展利益最大化？在团队并不缺钱的开发前期，资金介入可能会因为管理不善而不能让每一笔钱都用在刀刃上。在团队缺钱时涌入过多的资金，也会因为你没有能力控制这一笔现金流而使公司发展停滞。所以时机很重要。对了，那恭喜你；不对，也不要慌张，就像跑步一样，调匀自己的呼吸，才能跑得更远。

原始股与期权有什么区别？对持有人来说有什么不同？创业者拿到的一般是期权还是原始股？

　　互联网公司常用期权作为激励员工、吸纳人才的手段，尤其是计划在国外上市的公司。但期权本身的概念大部分创始人也不是太清楚，更不用说后进来的员工，来听听知乎的权威对期权的详细解释，这方便创业者们更加成熟地设计期权体系。

■ 股份固定，期权灵活

原始股是公司的股份（通常是普通股）。律师裴伯纯Benjamin[1]做出以下专业的解释：

股份是对公司的部分所有权。期权是合同。该合同下，公司承诺分期按一定价格将股份卖发给某人。因为价格是一定的，只要公司的潜在价值可能增加很多，期权就潜在地非常值钱，价值（即upside）和拿原始股没有本质区别。

不同在于，期权灵活得多：各个因素都可以设计（包括如何分期、行权价格、行权期限、对转让的限制）、对任何人可以多次给、还可以先让董事会或股东会授权预留一定数目的期权（即讲好公司可以为期权目的增发多少），然后管理层在这范围内决定分给谁。因此，创业团队除了几个灵魂人物，都应该拿期权。

■ 股权代表股东，期权给你激励

林莺：逻辑的起点是概念。

我在回答一个问题的时候，喜欢先澄清概念，以期能探求提问者真实想要的东西，以便更准确的回答。

"原始股"不是一个法律概念，很多人在买拟上市公司在上市前发行的股份

---

[1] 美国圣塔克拉拉大学毕业，现任美国科律(Cooley)律师事务所资深律师，前创新工场法律顾问。

时，会将之称做原始股，因为这个股份的价格没有体现二级市场流通性所赋予其的增值，定价基础很"原始"。总之，股权（有限责任公司）、股份（股份有限公司）都是股东基于股东资格而享有的一种所有者权利。简单地说，拿到股权，说明已经是公司的股东了。

"期权"是一种权利，是公司授予激励对象在未来一定期限内以预先确定的价格和条件购买本公司一定数量股份的权利，这个权利可能会在公司上市后行使，也可能会在上市前行使。简单地说，拿到期权，只表明其有可能是公司的股东。提问者将"原始股"与"期权"相对起来说，我猜想，提问者其实是想知道（不知道猜得对不对）：（1）创业者应该直接拿已经发放的股权还是拿在未来可能拿到股权的权利；（2）创业者应该拿到的是上市前的股权还是上市后的股权。

说到这里，又涉及一个概念：创业者。什么叫创业者？我的理解是，创业的核心人员和其他重要员工。创业的核心人员，是公司的灵魂，至少是公司最开始的灵魂，未来根据公司的不断发展有可能被替换掉，如乔布斯。但是，至少因为他们是一个阶段的灵魂，所以毋庸置疑，应该拿到股权，而且应该在上市前就拿到。至于其他重要员工，这就取决于核心人员对他们的判断了，给他们股权还是期权，主要目的在于看对他们的激励效果。

我在实践中看到两种情况都有。对于非常非常重要的员工，假如只给他们期权，很难使他们有很好的归属感和忠诚度，所以，不少公司都会考虑给他们股权。对于相对重要的员工，一般喜欢给他们期权，让他们了解到，是否能真正成为公司的股东，还要看他的努力、他的业绩。一般在相对于传统行业来说更注重人才的高科技企业，在上市前就全面展开了员工持股计划，而很多传统行业的企业，只是会在上市前给少部分人股权，而在上市后才会大规模开展员工持股计划，给员工期权。

顺便提一下，上市后开展的员工持股计划，一般不会直接给股权，而会给期权，或者其他股权激励形式，例如限制性股票、股票增值权等。

原始股是公司上市之前发行的股票。而期权（option）又称为选择权，是在期货的基础上产生的一种衍生性金融工具。不同的持有人拥有不一样的角色，股票代表股东，而期权更多的是带着激励的使命而存在。

假如没有天使及 VC 的投资，创业公司如何活下去？

创业者在融资的问题上一般都不会太顺利，现在很成功的创业者当年也差不多。互联网业务早期往往比较难产生收入，如果又没有早期投资介入，一旦

现金流断了就很难活下去。如果无法生存，其余的伟大、创新、梦想之类的词汇皆是空谈。

■ 资源匮乏，屹立不倒即胜利

赵燕新[1]不太喜欢资本市场的运作方式，认为大多数涉及这方面的运作，都会直奔金钱而去（当然，也有例外）。

一家公司能否做得好，钱不是最主要的。如果团队能够在资源匮乏的时候打好战斗，屹立不倒，那这个团队就很难被打败，这是难能可贵的特质。

创业，对于自身类似起义、反动，自然会进入一个资源匮乏的阶段。要学会精打细算，学会开源节流，学会珍惜来自每个客户的肯定，学会从细微处挖掘资源和亮点。假设一开始就奔着资本去，就算真的获得充裕的资本，反而会错失这些宝贵的细微处。所以，要学会打资源匮乏的战争。掌握了这身本领，资本还重要吗？他们会过来找你的。

■ 缩短开发周期、接活儿和傍大款

Ender[2]自己作为一名创业者，谈了谈他的经验。

---

[1] 技术型投资人。多个垂直外贸电商投资人，现致力于投资行业。

[2] 09年开始创业，创业三次，连续创业者。现移动互联网方向创业，技术出生，熟悉互联网，移动互联网技术，擅长产品开发，团队管理。

创业之前，大家都认为有个好的idea，团队经验不错，大家拿点钱出来就可以做，希望项目发展不错，然后直接找投资，以后慢慢发展。其实这里面有个误区，就是投资不是那么容易拿，至少在国内，种子投资还是比较少，要有长期作战的准备。可是大家总要生活吧？成本总需要的。如果前期在公司资金不足的前提下就去创业，越到后面越辛苦，很容易坚持不下去。这跟毅力没有任何关系，现实摆在眼前，连吃饭的钱都没有，还拿什么来创业？

因此前期你打算做某一个项目，不论它发展潜力有多大，你还得准备至少18个月的资金去做，产品出来后，你要营销推广，你要运营，在你项目赚钱之前，你可能已经用了好几个月的时间。在这段时间你是没有任何收入的，但每个月都要花不少的成本来维持项目。

你有几种方法去"坚持"

尽量控制成本，除了基础成本（硬件、人力）必须要花，其他尽量节省。

想办法缩短项目开发时间，用最少时间开发demo，然后不停迭代，完善产品。如果你的项目面对的是终端消费者，那就尽量早点推出，得到用户反馈后，不断改进（这是国内大部分人会做的方法），如果你产品面对的是企业，那就要用最短时间找到肯尝试你产品的企业用户（第一个客户可以不收钱，或者以一个极低廉的价格去卖，毕竟别人肯当你的小白鼠）。

如果团队有激情，日夜加班工作的话，可以考虑接一些项目去维持，但选取的项目必须是短时间内可以完成的，不然会导致你原有的创业项目推迟，得不偿失。

这些经验可能只针对互联网、移动互联网领域，但对其他行业有参考，毕竟在 IT 领域，竞争是非常激烈的。最后，个人抗压能力也非常重要，如果你是公司的创始人，不能避免经历身无分文的情况，是否能挺过来就看自己的信念有多强。

其实我们应该庆幸，现在的互联网世界还是"产品为王"的时代，只要产品质量过硬，资本都会追着你跑。可是很多草根创业者面临的问题是，在自己的产品过硬之前，团队要怎么活下来。这个时候你能做的，可能就是带领你的团队，在资源匮乏的时期，用尽一切办法打一场漂亮的攻坚战。

余亦多[1]*说估值这件事情,本身就是很主观的,因为价值本身就是一个人为的量度。*

它与物理或数学所追求的"绝对"是不同的,价值是没有绝对量化标准的。我们可以用上帝创造的法则作为检验科学模型的标准,但检验价值的标准是人为的市场,是人类创造的法则,而非上帝。所以以科学的角度去考量金融,我觉得本身就是一个误区。

上面是从宏观的角度来说估值这件事本质上的悖论;但说到市场实践,可以分早期公司与成熟公司而论。

成熟公司一般通用的有三种方法,即可比公司估值(Comps),可比交易估值(Comparable Transactions),以及贴现现金流法(DCF)。但其实每一种方法的人为可控性都极大。

Comps 就是在市场上选几家已上市的、业务模式类型相似的公司,然后分析它们的各种财务指标,并用此来贴合需要被估值的公司。

---

[1]　知金投资董事总经理。

　　其财务指标除了我们常用的市盈率（P/E）以外，还包括P/Sales（股票价格与销售收入的比率），EV/EBITDA（企业价值与利息、税项、折旧及摊销前盈利的比率），EV/EBIT（企业家价值与息税前利润的比率）等。但这里面的人为可操作性很大。首先，我们究竟选取哪种指标来估值。在市盈率所取得估值不理想的情况下，我们可以回头选择EV/EBITDA。在很多没有盈利或者盈利能力不佳的互联网公司，我们可以去选择活跃用户数，pay per click（按点击付费）等。而且，请相信银行家自说成理，合理化估值的"科学化"过程的能力。第二，市场上有很多可选公司，我们究竟选哪几家公司作可比公司能够达到我们希望的估值范围。第三，这个世界上没有两片同样的叶子。每个公司的财务结构必然有不同，我们可以因为这种结构的不同，对被估值公司作出相应的"调整"。

　　Comparable Transactions：就是根据以前发生过的同类型可比公司被收购时给出的估值来定价。也是考虑收购交易发生时的财务指标，如P/E，EV/EBITDA等。但因为收购时，一般会给出溢价，所以按照可比交易给公司估值一般会偏高。可比交易一般M&A（并购）里面用得比较多，IPO（首次公开募股）用得很少。这里面可玩的猫腻也很多，比如选哪些交易，不选哪些。用哪些财务指标，不用哪些等。

　　DCF：这个做一个对公司未来几年盈利的预估模型。当然，要做预估，自然需要各种假设，比如每年销售增长到底是 3% 还是 5%，毛利率到底是前三年保持一直，还是前五年保持一致。

在一个一切以假设条件作为基础的模型中，可人为操作的猫腻实在是数不胜数，于是，这种模型的不稳定性连最能自欺欺人的银行家很多时候也看不下去，所以大家在实际中用它，或者以它来做判断的时候其实很少。

当然，根据行业不同或者交易形式不同，常用的估值方法也不同，比如房地产公司，尤其是 REIT（房地产投资信托基金），就会经常用到 NAV（净资产价值法）。而传统行业的公司，用 P/E（公司总价值和纯利润的比例）较多。如果我们要做一个 LBO（杠杆收购），可能 DCF（贴现现金流）会是我们更看重的指标。如果做破产重组，那用的方法更多是在损益表上下功夫，与上述方法关系就不大了。

我们一直觉得对初创公司来讲，所有的对于某个特定数字的"合理化"的过程，来源还是那个拍拍脑袋出来的数字……

总而言之，很多人在为一个公司估值之前，就已经有一个大概的估价范围了，其他的所谓计算，不过是一个"逆推"，而非"发现"的过程。这些不同的估值方法，不过是用来贴合最初那个估价范围的工具而已，并非"科学"。

这也是为什么，越做到后来，你会越觉得，其实对于一般行业的正常公司估值，最简单明了，也最不自欺欺人的，就是 P/E（作为一个既成的市场标准，它的"正确"也是self-reinforcing的吧)。伊曼纽尔·德尔曼（Emanuel Derman）在《宽客人生》（*My Life as a Quant*）里面引用了一句歌德的话可以很好的总结他对于估值这件事的看法："我们不应该幼稚到把自然本身看作一门艺术，但是我们对于自然知识的描述却应该是一门艺术。"

VALUE

⬇

Significance
of
Existing

不赚钱的企业是没有存在价值的。这一点，所有创业的人都必须记在心中。

第5章

早期的产品规划

互联网创业早期，启动产品开发时有哪些注意事项？

像微软那样，用 12 个月做出一个精品或庞然大物不适合互联网，尤其是小团队。

团队的第一个阶段是摸索方向，强调的是低成本、快速。

■ 最小化可行产品

汪华说，你一开始的所有计划其实只是对用户和市场的假定而已，小团队的钱和资源也都有限，必须先快速地找个办法验证方向。

所以产品的第一个版本的目的，是验证用户需求和反馈，而不是做一个完美无缺、功能丰富的版本。第一版应该集中于开发出产品的核心功能和核心需求，也就是那个用户花 70%时间在上面的功能，放弃非核心需求。比如下载器，下载速度是核心需求，杀毒、登录、社交可能就是外围需求。

第一个版本尽量定义为 2~4 个人可以在 2~4 个月内开发出来、可以给几百上千个用户用的版本。如果预期超过这个时间和资源，就削减外围功能和简化设计，保证在钱和资源、时间用完前，即使第一次探索方向错误，还能做数次探索。无论多复杂的互联网产品，我还没有见过不能消减到在这个开发周期内作出初始版的。

我具体给出以下建议：

1. 尽量使用现成的代码框架、模版、开源项目、API，使用现成的工具，哪怕不是 100%符合需要，工程背景的创业者往往喜欢开发自有架构和技术，长期来说这个是竞争优势，但这个可以等验证了用户需求，有了用户量之后再重构。

2. 只要满足用户需求，第一版可以用尽量简单的解决方案，比如部分后台和算法，可先用静态页面、人工干预的方法解决。

3. 第一版在不严重影响进度的情况下，尽量为将来考虑可升级的架构，如果矛盾，参考第一条。

4. 找到所有相似、相关、上下游产品，充分研究学习。

5. 想清楚你要验证的用户行为和数据是什么，做好数据跟踪分析模块。盲目的数据收集没有意义，发布前要有明确的发布目标和验证目标。

6. 界面简洁，确保核心功能在首界面的主要位置，用户可立即找到，一键访问无歧义。这比美观风格更重要。

7. 专注80%的精力在核心功能上，一次只做一个方向，一个核心需求的探索，核心要做到比较完美。除非失败，再做下个方向探索，绝不同时做两个方向。

8. 快速、稳定永远是第一要求，不管是网站还是软件，基本做到这两点是发布的前提，功能可以削减，有问题的功能可以先不开放。

9. 产品要有明显、方便的用户反馈接口，重视用户反馈。

10. 外围功能，尤其是网站，要做到一旦提出，可在数天内实施验证，如果超过，可以考虑不做在第一版，保证核心需求。

11. 严格进度，日毕日清，如遇严重问题瓶颈，不要拖延或过分纠缠，尽早解决或调整计划，或者迅速放弃。

天下武功，唯快不破。放在产品开发上同样适用。这个"快"体现在产品核心功能的开发、功能的快速改进与迭代、对用户反馈的处理和对市场的适应速度上。在不断改变的用户需求中一步一步成长。

赢利模式对于一个创业公司/项目很重要吗？

赢利模式或者商业模式重不重要、有多重要，这个问题一定能让很多人打架。一个成熟的公司肯定都会有自己的赢利模式，那么对于一个创业型的公司、创业型的项目，赢利模式重要吗？体现在哪些方面？

■ 赚钱，必须的

陶宁[1]*认为赚钱是任何企业天经地义的义务、任务、必须工作（不涉及慈善）。*

不赚钱的企业是没有存在价值的。这一点，所有创业的人都必须记在心中。什么阶段要赚钱？

VC（风险投资人）在投资初期不要求赚钱，甚至不要求有赢利模式，是因为VC和创业者相信这个创业公司的产品和方向在未来可以赚到钱。如果没有这个相信，没有人会白白地给钱的。

互联网创业的第一个阶段，也就是大约第一个12个月，主要是做产品、找客户、增加黏性，迅速积累客户到市场的前三名。这个时候，大家看的是产品和用户数字，而不是赢利模式。

第二阶段，有了用户数了，就必须开始试验各种赢利的方式和方法了。这

---

[1] 创新工场首席运营官、合伙人，拥有北京大学信息管理系硕士学位及耶鲁大学MBA学位。曾任职微软、IBM、谷歌等公司，职责包括产品市场、战略规划、营销运营等。

个对于技术出身的互联网创业者是一个门槛、挑战。而且，做不好还容易丢失用户。这个试错过程，可能持续1~2年，但是必须最终找到一个可行的赢利模式。这个阶段的考核指标是，挣钱，而且是比较稳定的现金流。不过这个阶段的大部分互联网公司依旧是亏损的。不要紧，只要这个赢利模式是可以持续的，VC会愿意继续追加投资的，目的是让创业者把市场做大、把自己做强。

第三阶段，就是发展壮大已经找到的赚钱模式。用效率压低成本，用多样化开拓挣钱途径，用强大的攻势挤走对手，例如现在的京东，依旧亏钱，但是投资人还在支持，因为这个模式一定赚钱，不过需要一定的投入和条件，例如挤走大的竞争对手，树立定价权。

第四阶段，真的赢利了，有利润了，需要再次扩张，或者需要兑现投资人的利益，那就可以考虑上市了。

■ 暂时看不见不代表可以没有

Roy Li从不质疑赢利模式的重要性。

互联网公司谈赚钱实在太早，赢利模式是保证未来现金流、维护投资人信心，以及避免走入困局的关键要素。只是很多时候，赢利模式在你创业的时候是看不见，或者说你无法预测的。

这个时候就要考虑以下问题：你的用户群体在哪里，你能抓住这个群体里的多少用户？其中有多少金主？如何挖掘这些金主？不考虑这些问题，一味地把价值和用户需求挂在嘴上，是没有意义的。如果你是做内容型的，你除了追踪活跃用户还要追踪内容质量，投入资源去维护。如果你依赖平台、依赖一些渠道，你则要考虑渠道成本对价格的影响，继而考虑价格对用户的影响。

十几年前昂贵的正版软件虽然能满足用户需求，但是用户负担不起。学经济学的人就知道，SD图表（供给和需求曲线形成的均衡模型）上，均衡点上方过高的P（价格）是一个给供求双方都带来噩梦的东西。

最近还有个热点就是关于垄断。垄断在微观经济上图标是有变化的，因为垄断有很大程度的定价权，垄断对一个赢利模式很有促进作用。

国内，百度和谷歌同在的时候，广告价格不是像现在这样离谱的，当百度垄断市场后，同样的赢利模式，百度已经是肥到流油了。所以就赢利模式来说，垄断型的公司也有赢利模式，而且往往是很普通的赢利模式。如果你的产品赢利模式不具备说服力的话，就要考虑扩张速度，考虑如何去垄断市场。

怎么养活自己？靠赢利模式养活自己。

陈刚[1]认为，提出这个问题的人，基本上公司都是半死不活的。

就目前的互联网来说，生存才是第一重要的，要么靠VC养活，要么靠自己养活自己。

---

[1] 博远软件创始人，SaaS行业5年从业经验。

抬头看天，低头走路。赢利模式按照金主不同，得分为两块，如果你要VC的钱，得告诉他方向是什么，比如上面说的蔡文胜，他明白用户流量规模能带来钱，三十几个人他完全养得起，那么这一对僵尸微博带来的流量就是个方向，未来可能赚钱，蔡文胜心里有数，输了也无所谓。所以你得明白自己的方向是什么，找个能认可这个方向的金主，这就是赢利模式了。如果非要证明，我能证明还要你的钱干什么。

如果您得自己养活自己，那就麻烦了。因为您的金主是消费者，找到那些目前能带来收入的金主，用1元钱的收入冲抵0.99元的支出，您就赢了。对不？您已经有方向了，就等着您的试验找到最合适的客户和产品，这个比方向要更精确，光有方向还不够，还得评估干这活的收入和支出的比例什么时候能变成正数，这也是赢利模式，就是Roy Li说的那么回事。很多公司没这个成型的赢利模式，死在拼命做用户上了，做了一堆用户和产品，兄弟们也跟着有一顿没一顿的，很快就"挂"了。既然如此，您还是多花点精力去找VC吧，自己养活自己，在互联网行业非常的不靠谱。

■ 坚持不断地摸索赢利模式

张立盛[1] 把这个命题换成了"你的公司以后如何去赚钱"。

---

[1] 研发和产品人。

别的不多说，举几个大公司的例子：

1. Facebook（脸谱网）最初几年，媒体采访扎克伯格的时候，他说Facebook就是面向学生的一个平台，我们的目标是要让世界上的学生们都加入进来。

2. 百度刚成立的时候，是给各大门户网站和企业提供搜索技术来赚钱的，面向大众的时候也没有竞价排名系统，后来才有的。

3. 360成立的时候，方向是搜索。

4. QQ刚成立的时候，问马化腾赢利模式是什么，他估计会说"我还想问你呢！"

说上面的例子只是想说明，并不是所有的公司刚创建的时候都有清晰的赢利模式，或者说前期可能有，但后期经常会变。我们成功的原因有几个共同点，第一是虽然不赚钱但积累了一些用户，而且艰苦或者不艰苦地活了下来，然后在后面的摸索中找到了属于自己的赢利模式。所以我觉得跟VC谈的时候，说自己现在没有赢利模式，但是你能做到1、2、3点也是可以的，VC会帮助你找赢利模式。

之前参加百度主管培训的时候，培训讲师有一句话我一直觉得是很正确的：互联网的公司都是在不断试错的过程中前进，直到找到那个对的。不过大多数的人们没那么好的运气，试了几次错之后，就没有再试错的机会和资本了。所以创业成功还是个低概率的事件，找对同伴是关键。

在创业的大潮中，有些创业者站着就把钱挣了；有些创业者跪着把钱挣了；有些创业者还没挣到钱就已经生存不下去了。对于一个创业公司来说，你最终能不能赚到钱，以怎样的姿态赚钱，这都和你采用的商业模式有关。商业模式有固定的模样供你参照，可是什么才是适合你的，你只有不断试错、不断寻找才能找到。

用户体验是什么东西？如何评价用户体验好坏？怎样描述用户体验评价方法的核心？

　　随着互联网发展到现在，用户体验（User Experience）已经成了几乎所有互联网产品开发过程中的绝对关键词。"用户体验"这个词被使用得如此泛滥，那么它在大家的眼里应该是个什么概念？

■ 用户体验的目标是达到自然

　　张小龙[1]对用户体验的目标是，做到"自然"。

---

　　[1]　Foxmail创始人，现任腾讯集团副总裁，带领腾讯公司广州研发部创建QQmail和微信两款代表性产品，独特的产品理念成为中国产品经理的代表性人物。

　　我观察 3 岁的小孩发现，他们用 iPhone 手机很容易上手。比如，iPhone 手机的开锁，小孩甚至不用学就会用。因为触摸是人的天性，同时 iPhone 手机通过箭头图标，向右滑动的文字条（小孩看不懂文字），来暗示手指触摸向右滑动来解锁。自然和人的天性是一致的。大人因为成年后受污染较多，反而不一定立即学会 iPhone 手机解锁，可能需要看文字解释来理解。所以不识字的小孩可能比成年人更快学会使用 iPhone 手机。需要用文字来解释的交互不是好交互。

　　Apple（苹果）公司在"自然"体验上做了很多尝试。比如，通常 PC（个人电脑）下的"文件夹"（甚至"文件"）是不太自然的电脑概念，被从其操作系统 iOS 里取消（文件只有和能解释它的应用关联才有意义）。而苹果电脑上的操作系统 Mac OS 尝试改变触控板的传统滚动方向，将手指滑动改为和内容一致的方向，并称之为"自然"模式，即以前的触控板的滑动方向是"不自然"的。这样的改变很需要勇气，但也许 Apple 觉得，长远来看，更自然的模式才更有生命力，哪怕暂时会因改变用户习惯而让用户不适应。

　　自然往往和人的本性相关。微信的摇一摇是个以"自然"为目标的设计。"抓握"、"摇晃"，是人在远古时代没有工具时必须具备的本能。手机提供了激发人类这项远古本能的条件。设计"摇一摇"时，目标是和人的"自然"或者说"本能"动作体验做到一致。摇一摇的体验包括：动作—摇动；视觉—屏幕裂开并合上来响应动作；听觉—有吸引力的声音（男性是来福枪，女性是铃铛）来响应动作；结果—从屏幕中央滑下的一张名片。整个界面没有菜单和按钮。但几乎没有比它更简单的交互体验了。感谢手机，让人们从远古时代通过投掷石头来"连接"到其他人，进化到摇动手机来虚拟地"连接"人。

摇一摇上线后，很快就达到每天一亿次以上的摇一摇使用次数。"简单而自然"的体验人人都会用，并且因为"自然"，而"自然而然"地去用它。它也没有高端和低端人群之分。摇一摇给我们的最大启示是，一种通过肢体而非鼠标（甚至触屏）来完成的交互，也许代表了未来移动设备的交互方向（bump这一应用在这方面做得更早）。

马化腾三年前曾经送给很多人一本书，《点石成金》（*Don't make me think*），光从字面理解，也是这个意思。自然的体验是不需要用户去思考的。我个人也欣赏原研哉等设计师的设计理念，设计应当挖掘人的本原的体验倾向。

"自然"并不只是在交互等体验上体现，更是一种思维方式。程序员都知道面向对象的方法的核心，是更"自然"的对复杂事物的建模方法，"分类"是其核心之一。同样，产品经理在面对一个复杂问题时，需要有一种符合"自然"原则的建模方法，来通过产品结构模块以及模块之间的联系，映射和解决问题。没有开发训练的人同样可以建立"自然"思维方式，事实上，"分类"是人类模式化和识别外部世界的本能方式，如果有意识地对任何问题都从"分类是否合理"的角度来考察，时间长了，会建立起直觉式的分类感觉，而避免形成"大杂烩"式的结果。而对任何一个界面和交互，同样可以用"don't make me think"或者"是否自然到人人都能自然而然地使用"来反复思考。

比如，我们会鼓励每个界面尽可能有且只有一个突出的按钮，作为用户不用思考就默认去点的操作点。当思考过一千个界面的交互后，对哪些交互是自然的、哪些是不自然的，就会很容易判断。即便对于司空见惯的体验点，加以反思也会发现改进余地，比如，对一个列表，需要显示总的条目数吗？（比如通讯录有多少人，用户需要这个数字吗？）一个进度条，需要显示百分比吗？数字对于用户而言是自然能接受的反馈吗？

"自然"可能容易导致玄学，因此这里想强调的是，"自然"的思维方式一般是需要长期的、非常理性的训练才能获得，而不是突然幻想自己获得了一种使用"自然原则"的能力。记得知乎上有个问题问"乔布斯为什么能凭直觉知道该怎么做"。我认为，没有任何人有天生的可重复的直觉，来立即成为一个领域的专业人员。比如，对于复杂事物，如何将其"抽象"为一个简单模型，是需要大量案例锻炼的。但是，如果经过 10 000 小时的有意识地朝某个方向的训练（比如对"自然"的反复思考和实际工作练习），并且是极为理性的思维和实践训练，是可以获得一些直觉的。大量的理性训练有助于形成一种对同类事物的识别模式，这种模式形成直觉。比如大部分中国人其实是没有经受过"简单

DON'T DO IT JUST for the MONEY

以赚钱为唯一目标的创业者很难在创业中胜出。

是美"的训练的，表现在现实中，很多人其实是很难接受一套极简主义的装修
风格的居室的。只有当对"极简"有反复体验和思考，才能将"简单是美"变
成骨子里的审美观，并体现在设计中。

> 用户体验虽没那么复杂，但也不是一句简单的口号。在早期
> 的产品开发过程当中，创业者要注意在关注用户体验上投入的成
> 本。要避免拘于口号拖慢了上线进度，反复修改提高了成本。

跑马圈用户的思维是否正确？

过去很多成功的公司，包括投资界、创业者都有这样的理念："我现在不需
要考虑能不能赚钱、赚钱的模式是什么，我只要做到足够多的用户，将来就可
以做大，可以挣到很多的钱。"

■ 利润是用户价值的副产品

陶智[1]认为对于一款优秀的产品来说，真正的价值是满足了某种需求，解
决了某种问题，利润不过是一种副产物而已。

---

[1] 北京梦空间科技有限公司产品设计师。知乎签名"点亮一支蜡烛，胜过无数次的咒骂黑夜"。

能够满足用户需求（或者说解决用户问题）的产品，必然会有一定的用户群。用户通过使用产品获得了自己需要的帮助，自然会愿意为这个产品贡献一些资源（资源不仅仅是钱），使产品的研发团队得以生存并继续完善产品。

这些资源不仅仅是用户直接付费，甚至可能是用户自己都不知道的资源，比如说"用户的潜在购买力"。人每天都需要买东西，但用户不一定需要从你的产品中买东西，但是它可以从你的产品中刚好获得他需要购买东西的信息——好吧，人们称为"广告"，之所以如此描述大家所熟知且"厌恶"的"广告"，是因为我们所说的并非你们所了解的"广告"。

优秀的产品是为了满足某种用户需求而产生的，于是这个产品的用户群一定会有一定的"共性"，而深入研究他们的"共性"，会发现他们一些共同的"其他需求"，单独一款产品绝对无法满足客户的所有需求，那么通过"优雅的出口"把用户引导到能满足用户"其他需求"的产品去，并获得应得的推广费用，便是人们所说的"广告赢利模式"了。只不过现在的很多产品内的广告投放，都是在满足"投放者"的需求，"投放者"希望谁能看见他们的广告，谁就必须看见，然后为之付费。真正优秀的产品，应该更关注"使用者"的需求，使用者需要获得什么样的信息，他就能看见对应的信息，这样的"广告"才够优雅、不突兀。

当产品拥有足够的用户群时，总能找到依靠这群人盈利的商业模式。

■ 持续积累用户与商业模式实验可并存

高春辉[1]*觉得可以用以下四点来回答这个问题。*

1. 再好的商业模式，也是建立在有足够用户（这个需要仔细理解，越大众化的产品用户平均消费额越低，对用户群的规模要求就越高，越垂直的越相反，当然也很有可能达不到足够用户规模）的基础上的，但是千万不要忘记，前提是你的钱能让你做到有足够用户且证明了商业模式那一天。

2. 从创业第一天起，就应该琢磨商业模式，创业过程中也应该小心尝试、摸索，而不是等后面再说，持续的积累用户与尝试商业模式并存，才是合理的方式吧。简单地说，理论上是有用户就能有"钱"，但一定要注意，这个时候的钱还是虚的，不管在谁那里，它还不在你手里，你还得用商业模式来证明，把钱赚到你的手里，才算真正的闭环。

3. 之所以失败，是人不够强、不够好的问题，也可能是钱不够支撑到那一天的问题，所以也可以说这是个伪命题，之所以"伪"，不是因为没有答案，而是由于你证明的过程有问题，导致了一个错误的答案。

4. 我对用户黏性反而看得没那么重，黏性越高一般来说意味着成本越高，很多人觉得黏性越高越好，我倒是觉得有必要保持适度的黏性，即使要提升，

---

[1]　知名站长，手机之家创始人。

也要循序渐进，不然很有可能"伤仲永"。而且，别人打败你的路数，往往不是有比你更高的黏性，而是走了另一个方向。何况，这东西就跟用户平均消费额排名一样，都在意了，就开始有人作弊了。

■ 先获得认可，再收钱

严成旺[1]*同意这样的说法。因为：*

一、一开始你没那么多精力。

因为对于创新产品，一开始主要是探索用户需求、改善产品（这就够焦头烂额的了），要等产品初步定型了才能（才有精力）探索赢利模式。

二、没必要。

创新产品通常都会pivot（试错）几次，经过几次大的方向调整，你一开始设想的赢利模式估计就不适用了，可以扔垃圾堆了。

即使没pivot，你一开始设想的赢利模式也未必靠谱，例如腾讯公司的即时通信软件OICQ，开始设想的赢利模式似乎是收费短信。好像不怎么成功。后来的虚拟道具才赚到大钱。

这样是否有问题？当然有问题，这样的话，收入来得比较晚，如果产品不够给力，或者即使给力但没及时找到投资，那么可能倒闭。

---

[1] 互联网产品人。

　　然而，那样是否有问题？当然也有问题，如果一开始就花精力思考、探索赢利模式，那么在提升产品品质上的精力必然减少，导致产品更难得到用户认可，用户不认可，就赚不到钱，然后倒闭。

　　左右权衡，我还是支持这样的观点：先提升产品品质，得到用户认可，然后再探索赢利模式。

　　"如果商家为你提供免费服务，那你就不是他们的客户，而是他们的产品。"用户增长和赢利模式的探索历程是可以并行的。在用户增长过程中，免费用户作为产品的一部分吸引产品之外的更多的人，然后才能逐渐完善产品可能发展出的商业模式。

亲历者说 \\\\\\

王兴：创业者需要加强沟通

王兴回忆自己创业经历，觉得最大的感触还是得加强沟通。

　　不管是跟投资人、跟同事、跟用户、跟监管部门，还是跟合作伙伴，加强沟通可以解决很多问题。

　　论坛是一种非常成熟的产品机制，不管是用户运营者还是监管部门，都比较理解是怎么回事，但饭否网在国内是相对新的东西，这种新的产品形态带来的改变太大了，然后在一个很特殊的环境下面，这个监管力度就会不太一样。

后来的半年时间里，技术人员继续在开发改进产品，我和少数同事在做很积极的沟通，去找人。但这其实挺麻烦的。

后来有一个离职的同事，在自己博客上写了一段总结，我觉得很对。之前我们确确实实没有把饭否当成一个媒体的事情在做，但是后来，2009 年上半年，它快速发展后确实有一部分媒体性，这时候我们对它的认识没有跟上的话，确实就会存在一些问题。

亲历者说 \\\\\

周鸿祎：愿赌服输，专注最重要

360搜索推出之后，有很多"周鸿祎难舍搜索情结"之类的标题出现。

我已经见怪不怪了。在商场上做事，应该愿赌服输。原来做过搜索，但自己犯了错误，把大好的机会葬送了。现在必须要学会接受别人的成功。

而且我有一个观点，如果一个事儿别人已经做了很久，很成熟，没有破绽，你用同样的方法去做，肯定没有机会。就像我经常讲的，打败搜索的肯定不是第二个搜索，打败QQ的肯定不是第二个QQ。所以，在很长时间里，我在搜索市场上没有看到颠覆式创新的机会。

其实，奇虎做的叫社区搜索，但跟百度搜索不是一回事。百度是基于关键字，从众多的网页中给你搜出你需要的信息。奇虎选择了社区这个方向。当时社区指的是像天涯、水木清华这样的BBS以及博客网站，它们虽然不是真正意义上的社交网络，但每天都产生大量的内容。奇虎的方向就是用搜索技术，把社区里好的东西找出来，实现个性化推荐。所以，那时奇虎的口号是"我搜你看，你问我答"。

但这条路没走通，我承认团队犯了很多错误，后来跟创业者交流时也公开总结过。

第一个错误是豪华团队创业。当时奇虎是豪华的创业团队，要技术有技术，要经验有经验，跟百度单挑过，还融来一大笔钱。但带来的一个问题就是心态浮躁，觉得自己无所不能。但互联网是不断变化的，经验往往是靠不住的，你必须随时处于归零状态，从用户角度出发，随时把握用户新的需求。

第二个错误是平台化思想，没有聚焦于一个切入点。平台型产品在最开始的时候，一定是通过打动用户的一个点来切入的。但奇虎的团队那时心态膨胀，有浓厚的经验主义思想，加上手里融了不少钱，就忘记了创业最重要的原则是专注。结果是，想法很多，同时干，招了很多人，摊子铺得很大，但都没有做成。

比如，我们发现社区里有很多音乐、图片、博客等，一大堆，于是自作主张往聚合和推荐方向走，结果又拿机器聚合了一个门户。我们还有一个网站：51city，是做社区生活的。不久又觉得未来无线互联网会很流行，于是就又手忙脚乱办理了一个SP（移动增值业务服务提供商）资格。总而言之，就是把未来5到10年的各种大事儿全都在第一年就做了出来。

所以，在总结这一段教训的时候，我经常打比喻说，女人生第一个孩子要怀胎十月，生第二个孩子也要怀胎十个月。但他们我们在生第二个孩子的时候，就觉得自己有经验了，加大努力两个月就能生出来。这是很重要的错误。事后来看，如果当时稍微专注一点，能把这当中任何一件事情坚持地做下来，那也会成为一个不小的事业。

可以说，当时我们把一个创业者该犯的错误都犯过了。有一次，王功权对我说："我也不懂你们的业务，但是我们给你投资，是希望你做点与众不同的东西。结果，你好像做了一个新浪，又做了一个百度，又做了一个阿里巴巴。你准备和大家都竞争吗？你们能同时做这么多东西吗？"他这些话，当时对我是醍醐灌顶，当头棒喝。

社区搜索这条路没走通，我心里想，愿赌服输，输了就想别的方法，不能在一棵树上吊死。但总觉得挺愧对投资人的，每次和他们吃饭就特别有压力。

但从对投资人负责的角度，我保留了一支搜索的队伍，表明我还在干。

当时奇虎很多员工，特别是搜索核心团队的员工，都是奔着搜索的梦想来的。如果我告诉他们：我们不做搜索了，这对团队的打击也蛮大的。所以，我就跟他们开了很多次会，表达的意思是，现在做搜索的时机不合适，我们先保存革命的火种，将来再相机而动。有没有用户用也不重要了，搜索团队可以潜心研究技术。另外，我不再把自己定义成搜索公司，而是一家具备搜索技术的公司。

我觉得人才是最宝贵的，这些人都留下来了，今天还在公司重要岗位发挥骨干作用。事实证明，搜索技术可以和很多领域结合，比如安全。这一批人用搜索技术做安全，才有了后来的云安全。在安全上他们是虽然是后来者，但后来居上，遥遥领先。因为之前做安全的公司都是偏重客户端技术的公司，不具备服务器大数据处理能力，而搜索引擎就是处理大数据的工具。

过去发现木马、恶意网站、病毒、未知程序的行为，要判断的话都在电脑里判断。这可能会赶不上变化，数据量大了就会把电脑卡得很慢。利用云安全技术，相当于给反病毒做了搜索引擎。反病毒遇到什么情况他们就搜一下，我们云端就告诉他这个程序是好的还是坏的，是不是可疑的，该不该访问，这本质上不就是搜索引擎吗？不管怎么说，就把这个团队给稳定住了。

如何跳出自我的思维局限？也许接受更多的新事物是一个好法子。这样做并不是要你抛弃自己深耕的领域而做其他，而是只有新鲜事物才能与你根深的旧思维抗衡，博弈擦碰出火花，火花能看到灵感，灵感意味着下一次的专注。

TALENT

TEAM

WEEKLY REPORT

人才，团队，周报。

第6章

早期的团队构建

创业公司如何招人？

从 2008 年到现在，周源一直想，这事能不能有点窍门，或者是实用的方法，结论是几乎没有。

我用过的大家都用的方法：

在水木 BBS（论坛）上发帖子（有点效果）；在蓝色理想上发帖子（无效）；在技术邮件组里发帖子（无效）；买前程无忧网（51job）/智联招聘网最便宜的服务（有点效果）；给所有可以想到的人打电话，请他们推荐（无效）；给所有和你讨论过创业，喝过点小酒的人打电话（无效）；约前同事私下谈（有效）。

我用过的大家可能没用的方法：

上推特（Twitter），看感兴趣的人的follower（关注者），一个一个看，看他们的Twitter、博客、Google Reader（谷歌阅读）分享，想办法搞到邮件，联系，半夜电话骚扰。

上豆瓣，前端后端挑几本重量级的书，去找想看、看过、正在看这本书的人，一个一个看，看他们的活动，博客，Google Reader分享，想办法搞到邮件，联系，半夜电话骚扰。

找同事，问他们都看什么技术博客，想办法搞到邮件，联系，半夜电话骚扰。

■ 不要太指望周围的人

从社会招聘和校园招聘筛选初级人才的方法不适合创业公司，所以创业者只能靠自己去当猎头，从你周围的人、同学、朋友和接触过的公司员工开始。

这是事实，也是陷阱。周围的人在能力上恰好满足创业需求的可能性极低，人情债又超高，对方其实很勉强，但你却臆想他完全胜任，动之以情拉入伙，结果就是撑不了多久，单纯靠交情为纽带，很快就会透支得一干二净。

■ 别以为人人都想创业

我在招人的过程中遇到过很多很聪明的人，也遇到过很多独特的人，但到了最后一刻，他们会犹豫，把创业视为机会者，会自己鼓励自己，但问题是太多的人实际上都只看到了创业有风险的一面，选择时会倾向于规避风险。

还有，即使是有能力的心有梦想者，也会有很多的实际情况，为知乎招人时，有人家里有重病患者，无法从事需要加班的工作，有人无法换城市，有人自由习惯了，有时候，他们和你通电话，只是想知道你正在做的事情。

keso认为创业公司招人确实很难，尤其是现在大公司都在高薪抢人，创业公司能给别人的承诺的东西，除了梦想，其他很少。即使像兰亭集势（LightInTheBox）这种已在业界小有名气、又有知名CEO的公司，招人也是很难的事，经常遇到这样的情况：已经基本谈定的人，最终告诉你，他去阿里巴巴上班了。

很难，但仍有一些办法：

从你的用户中找。在你的用户中，更容易找到有共同梦想的人。豆瓣最初就是这么干的，阿北那时候没钱，只有一个产品和产品所反映出来的理念，豆瓣前10名员工中，很大的比例都来自豆瓣的早期用户。

建立口碑。让你的用户去替你传播，提升你的曝光度。一个有点知名度的公司和一个毫无知名度的公司，对人才的吸引力天差地别。

创始人多参加业界活动。人才是等不来的，你不主动出击，就没有机会。

写博客。写一个专业的、有价值的博客并长期坚持，不是简单的宣传，而是提供价值。认同你的价值观的人，成为创业伙伴的概率会更大。王建硕就是这么干的。

事在人为,总有机会的。

曹政 [1] *反对keso的答案。*

从用户中招聘,只适合于特定的应用和特定的职位,比如淘米网如果要招聘计算机编程语言C++工程师,能从他用户里去找吗?等15年后他的用户长大再说吧。

博客或微博招聘是有效的,前提是你有影响力。比如,李开复可以,普通的人要做起来就很难。

创业公司招聘主要有几点:

1. 校园招聘。创业公司也可以校园招聘,怎么和大公司拼?找大公司看不到的盲点。比如说,给一些有不错潜质但是成绩并不那么突出的孩子实习机会,并且给予足够的成长空间,百度刚创业的时候,校园招聘是主力。李明远这样的人都是做实习生练出来的 。

2. 员工推荐。这也很重要,你招到一个不错的员工,他的朋友,他的前同事,他的前领导,都可能成为你的员工,甚至他的亲戚,"举贤不避亲"。这里的关键是让你的员工觉得这个公司有希望、有机会,愿意把自己的朋友带来一起发展。如果员工自己牢骚满腹,他不会推荐朋友来的。我们现在员工推荐是非常主要的人才渠道,事实证明,比招聘网站的质量好太多。

3. 影响力建设。其实影响力很重要,比如你说微博招聘好,先做影响力,

---

[1] 数据控、历史控和考证控。

影响力怎么做？先要有分享精神，以及分享能力。

我们在厦门做了几期技术分享会，产品分享会，请了厦门范围内领域内比较有能力的人一起来分享，免费提供场所和饮料，成本不高，也不是挖人会，也不是广告会，就是针对产品主题、技术主题，展开讨论和分享，顺带提供一些案例，当然，很多是我们自己的案例，渐渐地，这个圈子就会认可我们，觉得我们是真正做产品，懂技术的团队，做的是靠谱的事情，慕名而来的就开始多起来了。

靠待遇挖人是最不靠谱的事情，因为如果一个能干的人由于你待遇给的高才来，这种人不适合创业。

薪酬待遇一定不能高，记住我说的，一定不能！但是激励制度一定要到位，什么激励制度？我举个例子，我一个朋友的创业公司，百来个人，其中主程月分红 10 来万元。底薪和巨头公司相比差距很大，但是成绩做出来后，激励一定要到位，或者是分红，或者是绩效奖金，或者是期权、股权这样的，这样，一些自信、在大公司被埋没无处发挥的能人才会前来施展拳脚。

创业团队内部如何高效沟通？

创业团队中成员多了，需要沟通的人和事情就多了。各种各样的障碍阻碍着信息的传递，影响着团队的效率。不确定性无处不在，如果团队能够保持高效的充分沟通，那么很多严重的问题都可以发现和解决。

■ 目标清晰，职责分明是最高效

周士钧[1]的感受是只要目标清晰，职责明确。

一个人干两个人的活，没有任何人可以依靠，没有余地可以妥协，每个人都对自己的部分负全责。这种状态下，极少需要沟通。即便需要沟通，10分钟也能搞定，午饭、晚餐的时候碰撞一下想法，交换一下进度。

补充：见识过创业团队讨论产品（所谓的PK），用一整天去开会，真是浪费生命。

■ 不同场景用不同的协同产品

何明璐[2]用经验告诉我们：

如果非异地，本来就是在一个开放性的环境，一定要减少IM群这种沟通方式，必要性很小。如果是异地协作，IM（即时通信软件）群相当有必要，特别是支持文件传送、截图的IM群，原来公司我一直使用腾讯的企业级即时通信平台RTX（Real Time Exchange）工具，相当好用。

---

[1] 果库创始人。

[2] 人月神话博客创办人。深圳市远行科技副总经理，擅长IT项目管理，个人知识管理，SOA和云计算，先后承担中国移动和中国联通大型SOA项目总监和资深顾问。

■ 异地协作如何高效进行？

原公司的经验是，原来的团队 60 多个人，分布在深圳、上海、南京三地。首先说在即时沟通这块，核心就是 RTX 工具和支持多方通话的内部 IM 工具，同时支持远程桌面链接可以验收本地桌面。

在非即时沟通这块，还需要一个沟通和项目过程管理的记录工具。公司内部开发了一个团队管理的高效协作平台，以项目为主线，将和项目有关的文档、会议纪要、任务、问题管理全部挂接进来，实现了项目全视图的管理。同时这个内部产品很好地结合一些 SNS（社交网站）的元素，这也是这个产品用得比较成功的原因。

■ 怎样更好地管理项目进度与执行？

项目进度管理核心是短周期迭代和可视化项目管理，包括软件开发行业现在重用的 scrum[1] 敏捷开发方法论，是很适合用于管理项目进度和执行的。

■ 不断讨论，不断改进

魅族的李楠[2]认为这个问题要分情况来看：

---

[1]　通常用于敏捷软件开发中的一种迭代式增量软件开发过程。

[2]　魅族高级总监。IFANR 主笔，常年跟踪移动互联网。 曾：NEC 在线 ERP 系统构架师，Monstar-Lab 移动社交和游戏产品经理（东京）。幸会 ex-co-founder（北京）。

要看创业公司内部的工作性质。不同工种有不同的沟通方式。比如产品技术团队可能更喜欢异步文档协同；内容编辑部门可能更加追求实时反馈，IM 未必不是一个好工具。而电子邮件这种方式正式、有充分思考总结，可能适合所有团队和场景。

当然，如果团队只有几个人，大家在一个地方办公，那就不要用什么IM，当面沟通，虽然简单粗暴，但是效果最好。

如果是异地，电子邮件和网络协同平台可以考虑尝试。网上也有不少开源的系统，管理项目、流程、产品技术文档和代码。

在自己搭建的开源平台上，做好产品技术的文档归类整理，做好阶段性的任务分解。通过协同平台控制项目进度、bug（缺陷）管理、项目反馈、完成度控制等。

没有什么方法是通用的，需要团队成员花点时间坐到一起讨论，寻求自己认可的方式，并在运作中不断总结修正。

创业团队不同于大公司，它具有扁平、高效的特点。这些特点能帮助它快速决策，立即执行，在有限的时间内完成超量的工作。但是要保证这些特点能够持续地发挥作用，我们不仅要运用一些方法，同时在工具的选择上也要符合具体的场景与团队所拥有的配置。力求把特点发挥的作用最大化。

A TEAM
the *MOST IMPORTANT PART*
OF A COMPANY

对于创业公司，真正的核心价值，是团队

创业团队如何让新员工觉得是有前途的?

和大公司不一样的是，创业公司往往没法提供那么吸引人且稳定的薪酬体系、培训体系。创业的成功与否很大程度上取决于成员的主观能动性，是否觉得有前途有动力且目标一致。

■ 不同员工不同对待

*创业公司的员工曹婷婷*❶*认为应该不同员工不同对待，并把它分为三种。*

没有多少经验的员工，他们需要的是能在项目中学习到东西，增加项目经验和阅历，对他们来讲这才是主要的。这个阶段，薪资对他们来说，只要在业内一般水平即可。但是只要给他更多发展的机会，对他能力的相信和培养，就可以留住他。

有3~5年经验的员工。这个阶段，他们承受着家庭和职业生涯的双重压力和困惑，他们需要更高的薪水，需要更多的title，需要社会的肯定。建议这样的人少招，因为他们很容易不淡定，为了更高的薪水或者发展就跑掉。这个阶段的人再现实不过。如果公司有这样的员工，想要留下来，就靠给他画饼，给未来画个大饼，能短暂留住他。

---

❶ 豌豆荚战略分析师。

5~10 年经验的员工。这个阶段，他们有的已经做过高管或者中层管理，经历了事业的起起伏伏，也在领域内研究颇深。对他们来说，加入创业公司，是个人价值的提升。因此薪水已经不是留住他们的必要因素。这时候，一个完美的创业梦想、一个未来的无限发展憧憬、激情和年轻时想法的实现都很重要，多和他们谈这些，多和他们分享你的创业理想，应该可以留得住。

■ 客户体验基于良好员工体验

HK❶作为一家电商创业公司的负责人之一，认为客户体验基于良好员工体验。

做电子商务，经常讲用户体验。今天跟两个小女孩补签劳动合同，慢慢地去完善员工福利体系这些东西。最后其中一个还没完全从客服转成销售的女孩，问我什么时候才可以有提成，我说我们当前的规划里面有让你负责一个比较好的平台，但是你的能力有差距，需要一段时间的培养。但是毫无疑问你已经是最重要的销售之一。

末了我说我们公司还在完善和发展的阶段，非常非常需要你们的建议和意见，没有什么是不该提的，因为我都会反馈。我们经常要求你们给客户好的用户体验，我们公司内部，就要给员工好的员工体验。

---

❶ 华南外贸电商创业者，负责供应链和人力资源两块工作。专注产品的用户体验，也关注员工体验。

如何评价一家公司"有前途"？创始人自然坚信这一点，但员工不一定。面对不同的员工，你应该把你所理解的创业理念和他们分享，让他们能够和你感同身受，让他们感受到你身上那股"创业公司那么多，但我就选这一家"的力量和"我想要带领你们把这一件事做好"的坚持。

创业团队都有哪些有效的团队管理方式？

许多管理书籍长篇大论讲述着团队管理，其中不乏各种案例各种数据。但这个看似简单的问题却是让管理者无比头疼的问题。有了团队的形，却没团队的魂。很多的事情领导人依然是孤军奋战，没有团队的支撑，还经常掉链子。

■ 好公司有共同点

Roy Li 从他见过很多很好的有效管理方式中找到一些共同点。

首先，团队的管理必须要确定一个核心的领导。历史证明"独裁"比"民主"效率要高，尤其在创业初期的时候，不需要那么多"老板"在那里指手画脚、品头论足，一旦CEO拍板就不能有异议。

我以前创业的时候，每次开会做决定后我都会对新员工说：我做的决定，能理解的要在理解的基础上坚持执行；不能理解的要在坚持执行的基础上加深理解。

其次是尽量使用敏捷开发的理念，在可能的情况下做结对编程，做背靠背，rotation（滚动开发），大家凑一块工作，使用小黑板。开会效率要高，不要过频。我反对不必要的注释，因为你代码文档和注释写得再好，你走了之后，下一个程序员多半还是要重写你的大部分东西。这点是跟大公司完全相反的，大公司注重的redundancy（冗余）在小公司里根本没有意义。

再次是培养一个归属感。我会时不时会想一些节目让员工之间多多互动。小公司最怕turn over（人员流失），尤其是轻轻地来、轻轻地走，对剩下的员工也有一个危机感。

另外就是需要注重员工，尤其是技术人员的培训，尽量多亲自培训员工。比如一些"嫩"的程序员我会教一下设计模式，然后让他们自己看自己用，我会在旁边观察他们。我对员工考核也是非常在意的，而考核很大的指标就是对新事物的接受能力和学习能力。

技术人员不能抱着一样本事一直混饭吃，不会学新东西迟早要被淘汰。

张鼎总结了三个篇：人才，团队，周报。

人才篇

我们给每个成员一个清晰的愿景，并且一直在努力营造一个更好的氛围，一个能吃饱饭、做喜欢做的工作、平等的氛围。

团队篇

我们保持一支小而精干的团队，力图每个成员都能很好沟通。

如果没有确实需要，我们不会增加岗位。能够机器完成的事情，我们尽量交给机器完成。有试错的心态，并能不断总结。多数情况下，成员面对面交流。用最短时间，达到最好的沟通效果。

周报篇

我们以周为单位进行管理，踏实做好每一周。通过每个成员周报，了解该成员上周做了什么、计划做什么、计划做的事情的进展情况。明晰成员上周碰到的问题，确定问题的解决方案并执行。每个成员写下周的工作计划，明确下周要做什么。

即使再小的兵团也要有自己的管理机制才能良好运行。创业团队也一样。不同的队伍有不一样的管理理念，但是总会有共通点。我们应该学习这些共通点，然后建立自己的管理制度。管理在"有效的执行"中发展，在"无视的懈怠"中死亡。

创业初期是否要找专门写字楼做办公室？还是可以用民宅？什么时候要搬到正式的办公室？

我们是一家还没拿到早期投资的创业团队，为了节约成本选择在民宅内办公。大公司出来的搭档觉得很没面子。来应聘的人也有不少因为这个艰苦的条件没考虑入职。北京的写字楼成本很高，请问是否应该做出预算去租写字楼？

■ 里子比面子重要

谁在意写字楼和民房的区别？

来公司面试的人员，新招聘的员工，价值观不同的合作伙伴，注重实力的客户在意。

任鹏[1] *在民房办公的时候，招人是最困难的。*

---

[1] 从事即时通讯产品渠道推广。

很多人没进公司就走了，但这也是种大浪淘沙，把那些不适合的人去掉。这些人就算在最好的写字楼也会因为种种原因离开。对于已经进入公司的员工，可以通过企业文化来改变他们，环境虽然艰苦，但是只要团队很温馨，公司有前景，一定能留住人。

面对客户，关键是要用业绩和诚恳来证明自己是一家有实力的公司。

如果你是创始人，我认为产品方向、市场反馈和资金的问题更容易使人坐不住，而不是环境使人坐不住。

程序员黎小山[1]*的公司自创立到现在，搬了三次民居，现在到了写字楼。*

我觉得写字楼未必有民居安逸。当初招人，约到了楼下发现是民居后就联系不上的人，大把大把的。如果短时间没想大量招新人，就没必要在写字楼。

 对于最早期的创始团队来说，办公环境差一点、苦一点也不是不能够克服的。如今在一线城市创业，房租成本对没有拿到投资的创业公司来说，担子还是很重的。能够多节约一些"弹药"总是好的。

---

❶　程序员背景创业者。

周源作为一个说服了不少人"上船"的创业者，先给出了一组过滤条件，他认为重点关注：团队，项目，领导人和资金。

我设置了一组"这家创业公司是否值得加入"的过滤条件：

1. 团队。这是不是一群你一直在寻找的人？你是否喜欢这帮家伙（起码在直觉上）？想象一下以后你每天都会和他们在一起工作、吃饭，晚上加班还可能会分享一张沙发睡觉。这可不是可以装得出来的，成熟的公司往往会有成型的公司制度，而创业公司则几乎没有这套东西，所以大家在做事方式上是否有相似的习惯，你们在性格上是否可以相互包容和鼓励，会直接决定你到底是否能和大家待在一起。

判断团队是否和你合拍的方法，是多创造接触的机会。主动和他们一起午餐和晚餐，饭桌上的话题一般比较轻松，你也有机会和每个人都有接触的机会，尝试抛出一些关于创业的问题，悉心听听他们的看法，如果你们很快就进入了垃圾时间——互相不认同，无话可谈，那你就可以直接撤了。邀请对方的 Tech Leader（技术领导） 一起参加技术聚会也是个好方法，你们可以在会后获得思想碰撞的机会。

2. 项目。这是不是一件你自己也想做的事？创业团队的成员很少会认为自己是在选择一份工作，他们都认为这是一项事业，他们愿意放弃之前工作，放弃更多的业余时间，决定排除万难来把这件事做成。换句话说，这对你也不应该只是一份工作，你要认同这份事业，否则你的热情会像火柴一样迅速熄灭。

3. 领导人。他是否有坚韧不拔的性格并做事专注，你可以问问 founder 或 co-founder 之前做过什么，犯过什么错误，取得过哪些成绩。他应该对你敞开心扉，而不是遮遮掩掩。另外，他必须足够强大，他可以找到各种办法打消你的顾虑，并保持事情的推进。

4. 资金。搞清楚项目的资金来源，创始人自己出钱和天使投资人出钱是截然不同的情况，这会导致创业团队心态上的差异。很多顶着光环的创业项目最后遭遇滑铁卢，"花的不是自己的钱"的心态多半是一个重要的失败原因。你可以打听一下他们是如何花钱的，并在心里评估一下自己是否接受。

补充一点，在搞清楚团队、项目、领导人和资金的同时，也同样要搞清楚你自己内心的想法，你要的是一份工作，还是不仅仅是一份工作？你是否愿意承担风险，也有能力对自己的行为负责？要知道，如果你是要一份工作，那就尽量不要去创业公司，起码尽量不要去初创期的创业公司。我见过有刚毕业的学生给创业公司的回信上写"我不排斥创业公司，但我想再等等其它公司的 offer"。知道吗，套用相似标准来对创业公司和成熟公司进行比较是根本没意义的，你把创业公司当成了小公司，那创业公司也不可能把你当成可以信任的伙伴。

接下来，王世忠[1]给出了几点从加入者角度看，加入一家创业公司对你的职业生涯意味着哪些变化：

加入一家创业公司意味着你有更多的学习机会，以及更多的在大公司里不会有的锻炼机会。如果你有心，如果你想有更大的成就，加入一家创业公司意味着你即将快速地成长。

我本人之前一直在微软、IBM等世界著名IT外企工作，1999年受邀加入当时还不到10人的创业公司——携程旅行网。因为人少，一个人要做很多不同类型的工作。这，其实是我成长的开始。

■ 一、大公司与创业公司的区别

大公司的特点是规范和专业，分工细，讲究团队合作。个人认为，如果是本科或研究生刚刚毕业，应该在世界级的大公司工作至少三年，这样可以学习或锻炼自己，培养自己规范的工作作风。大公司的培训是非常正规的，要求也非常严格。以IBM为例，你在什么职位上，每年就必须参加相应的培训，培训的结果是一名员工年度KPI的重要组成部分之一。

---

[1]　创新工场市场拓展副总裁，北京航空航天大学计算机软件专业工学硕士，曾经任职微软、IBM、携程、中国网通等公司，担任中演集团旗下票务公司首席执行官。

创业公司没有这么规范的培训，也不会给你机会去慢慢学习。但因为创业公司钱少、人少、事情多，相反却要求每一名员工都是"多面手"。因此，这就给了每一名员工锻炼和证明自己的机会。如果你肯努力的话，在创业公司里的成长速度是非常快的，因为公司需要你做更多的事情。如果你做得好，公司就会赋予你更多的责任和工作。携程的高级副总裁孙茂华，当年加入携程时仅有两年的工作经验，但随着她带领的呼叫中心团队（当时叫"服务热线"）的不断增长，就逐渐成长为现在的 Nasdaq（纳斯达克）上市公司的高级副总裁。

■ 二、创业公司能够给你那些机会？

1. 与你专业无关，但公司运营不得不需要的工作，如与物业管理公司、工商、政府机构等打交道的机会。不要小看这样的经历，除非你决定今生只做工程师。在未来的工作或创业中，这种经验或许是你成为一名优秀的企业管理者或公司创始人必不可少的经验和能力；

2. 领导团队的锻炼机会。创业公司人手少、工作多，人员流动相对快。很容易地，你或许就成为公司里的"资深"员工了。除非你不愿意，否则你很快就成为了某个团队的 leader，无论你是否已经具备了成为团队 Leader 的能力。这在大公司是几乎不可能的。在创业公司，如果能够抓住这样的机会，你很快就会成为一名真正的、名副其实的管理者。孙茂华就是这么成长起来的；

3. 培养自己人脉的机会。创业公司的特点是，每一名员工都有更多机会与行业内外的大佬接触。这样，如果你自己足够优秀的话，就会慢慢组建自己的人脉网络，为自己的成长或以后亲自创业打好坚实的基础；

4. 脱贫的机会。众所周知，创业公司一旦成功，意味着比在大公司打工更为丰厚的回报。虽然成功的是少数，但其吸引力依旧不减。但是，我不赞成为了钱才加入一家创业公司，因为成功率太低，抱着挣大钱的期待加入创业公司会让你失望的。抱着快速成长的态度加入一家创业公司才是正确的态度。

第三部分

起步期（0~1 万用户）

SHAPE of MY HEART

创业对生活的改变不在于它更多地挤占了你的时间，
而在于它完全占据了你的心灵……

产品上线

一个有效的新产品上线策略应考虑哪些因素?

　　和线下的传统商务不一样的是，互联网这条商业街上并没有现成的精准用户。产品的推出只是最基础的工作，通过哪些策略去获取正确的用户，是产品上线后面临的第一个问题。

■ 精准精准再精准

　　许朝军认为首先要分析谁是你的目标用户、核心用户。

　　产品刚刚上线的时候，要影响这些核心用户。比如知乎的第一批核心用户是IT（信息技术）行业的用户，通过IT的行业新闻就可以吸引到目标用户。点点的核心用户是一批文艺青年，需要通过豆瓣这样的文艺网站来吸引第一批用户。啪啪的核心用户是都市女性，所以啪啪的第一个版本只发布了iPhone手机版本，并在新浪微博上针对女性定点推广。

■ 低调低调再低调

如果你的第一批目标用户是非IT群体，建议可以尽量在IT圈保持低调，不然有这么几点坏处：第一是吸引了非目标群体的用户，这些用户基本是本着调研产品的心态来的，会影响产品的数据，得不到正确的反馈；第二是会在行业内引起很多人的注意，过早让自己的产品暴露在全中国产品经理的雷达下，提前引入很多竞争对手。2011年我们做点点的时候，在业内过于高调，吸引了新浪、网易、人人、盛大和凤凰一起加入轻博客这个领域，一下子变成了红海。相反，我们在2012年做啪啪的时候，在业内非常非常低调，甚至直到啪啪运营了一个月后，行业内的记者才开始猜啪啪是谁做的，从而避免了很多不必要的竞争。

■ 简单简单再简单

产品一定要简单，把核心功能打磨得非常锋利，其他非核心功能可以不做，让产品在发布的时候非常有冲击力。首先用核心功能来试验市场，如果核心功

TO be ACURITE
TO be DISCREET
AND SIMPLIFY

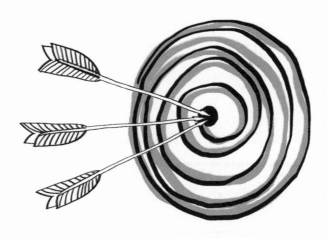

精准、低调和简单

能能够打动市场，再安排人力、时间来开发二级功能。如果核心功能不能打动市场，二级功能做得再好，也不能打动市场。而且领先于对手第一个推出产品，最好的用户都被吸引过来，会有先发优势。

　　"精准"、"低调"和"简单"是许朝军从自我经验中总结出来的三个关键词。"精准"告诉你要找准目标用户，找到发力点；"低调"可以帮助你减少不正确的反馈和不必要的竞争；"简单"让你的产品变得非常尖锐，开辟市场，发挥优势。

　　吴卓浩[1]说一个新产品上线策略主要可以从以下几个方面来考虑：

■ 商业

　　一个公司的所有商业行为都是为了商业目标服务的，发布、运营一个新产品也是如此。目标用户和市场情况如何，产品如何到达目标用户和市场；产品和商业模式如何运转并形成竞争力，产品如何与市场上的各利益相关方形成有

---

　　[1]　创新工场用户体验总监，同济大学工学学士学位及清华大学美术学院硕士学位，专注用户体验，在互联网、移动、软件、游戏等不同领域均有涉猎，曾在设计公司及谷歌公司工作，在谷歌中国创建了美国以外的第一个用户体验团队。

效的合作关系，产品和配套的服务如何为公司创造可持续的经济利益。只有商业问题想清楚了，后续的具体做法才有坚实的目标和依据。

■ 产品

弄清此次新产品上线的目的是什么，是要大张旗鼓的营销，还是悄悄进行的测试。

检验产品前端（直接面对用户的界面）能为目标用户提供怎样的使用体验，以及产品后端（服务器、CDN等）能支撑多少用户并发、稳定、流畅的访问，为产品正式上线做准备。

在产品中如何布局数据采集点，建立分析模型，为产品上线后的快速迭代、持续改进做准备。

建立用户反馈收集和处理机制，如何及时应对用户反馈、利用用户反馈进行产品改进做准备。

■ 运营

如何预运营，让产品在公开上线的时候就拥有一定量的内容和用户，避免产品"冷启动"。

预测用户容量、并发量，以此为基础评估产品后端性能、准备应急方案，准备人工和自动化相结合的运营方案以及应急方案。

内容（比如论坛、微博和微信消息）、用户服务（比如注册、支付、物流）等方面需要针对性的运营。

■ 营销

选择专业公司合作还是自主进行，使用什么辅助工具。

针对目标人群进行营销方案的策划，包含策略制定、创意制定、渠道选择、效果评估等。

营销导来的用户，到达产品的过程中体验如何，产品如何最高效的吸收这些用户。

如何让用户自发的产生二次营销，产品和运营在其中如何支持。

最后，一定要注意上线前的测试。缺乏测试，直接让新产品公开上线、推广，可能在这重要的初次亮相中不仅无法收集到有效的用户和产品数据，无法获得积极的营销效果；甚至造成恶劣的影响，让产品以后都无法获得用户和市场的认同。上线前测试的目标，就是在可控的环境中模拟产品正式上线可能遇到的各种问题，以便及时改进产品、并让各团队做好产品上线的准备。

一个新上线的产品，应该如何解决"冷启动"的问题，寻找到第一批用户？

对一个刚上线不久的产品而言，种子用户是非常重要的。一方面他们使用并传播你的产品，另一方面他们给予你反馈。如果是一个社交或者论坛型产品，早期的种子用户也决定了未来社区的氛围和风格。成功的产品是如何运营或者用什么策略吸引到第一批用户的？为什么会这么做？有哪些考虑点？有什么好的经验介绍？

■ 动用一切资源留住种子用户的心

刘路 [1]老师讲了这样一个故事：

我曾经做过一家网站的种子用户。说说感受吧。我在进入那家网站的时候，是从豆瓣过去的，后来我成为种子之后，在2008年的时候，给他们做了一个小调查，居然有40%的用户都是从豆瓣过去的。所以你知道了，要想找到种子用户，就要到你的目标用户喜欢玩的网站上去拉人。

我第一天在里面发了3篇内容，隔天有两篇登了首页。写了12条文案，被选了2条挂在网站首页。在进入网站2个月后，和他们的运营见面，聊天吃饭

---

[1] 魔都吃货组项目发起人。

看展览，给我纪念品，嗯，还有各位老大们亲手写的、给我的话。3 个月后，他们把我的介绍挂到网站首页，挂了一个月。

我每次发了内容，网站里面的运营们、编辑们，都来吹捧。吹到我整个人飘飘然不知道东南西北。

后来我一直产出内容，一个月 3 篇，一直持续到 2010 年。完全是怀着欢喜无限的心。

所以你知道了，动用你可以使用的一切资源，去留下种子的心，让他们从你的网站中获得赞美，获得朋友。和他们深入地交流，不敷衍、不造作。

每个用户都有成长和衰退期，2010 年之后，我基本不再产出内容了，但这个时候，网站已经有 500 万的注册用户了。而 2008 年年底我注册的时候，才 1 万人。回顾历史的时候，还能照顾到我们这些个老用户的心，实属难得。

所以你知道了，种子用户每时每刻都在为你做良好的用户口碑传播，不信你看。

这个网站的名字叫虾米。

■ 最早的必须是最好的

王彦之[1]认为冷启动有几个关键因素：

---

[1] 互联网产品经理，专注互联网产品设计、业务落地、运营推广、架构。在知乎的用户体验话题下的经验是"没人比我更细节"。

1. 必须先找好最最早的种子用户（有影响力、且是典型用户）。不要问怎么找，如果你都不认识一些典型用户，就说明你还没验证过产品的可行性。

2. 内容分享和邀请机制：让种子用户在其他SNS（社交网站）平台扩散，通过关系链导入他们的朋友并循环。

3. 初期的内容先自己人工摘录，不用多，但要精准，符合典型用户的口味（对编辑能力有要求）。

4. 怎么引导用户？引导就是交换，你给予他某种好处（必须是他认为对他有好处），以此换取他完成一个行为。必须是交换。

5. 一个人怎样运营？你如果顺利地解决了邀请机制，那么推广的事情你暂时可以不费心，运营的工作也就只有引导用户和改进体验了。一个人精力有限，所以一个时间段内只能抓一个重点，要学会容忍许多地方不完美，放一放，先攻最重要的。

■ 用最土的办法获得用户

*一个产品，三分设计、七分运营，冷启动是考验运营的基本功。*王天[1]*对于冷启动有自己的理解。*

第一步：搞清楚你的目标用户，千万别铺大平台，现在不缺平台，缺的是

———————————————

[1]　高德地图高级产品经理，前创新工场（乐啊项目组）产品总监。

扎实解决小量用户垂直需求的精品。听人说过一句话：只做 1 厘米宽，100 米深的事情。搞清楚你所服务的那一小撮人是谁；

如果一旦不幸，你做了个平台，恭喜你，你得想清楚你的运营策略，先抓住某类用户，比如你的平台是 C2C（Consumer to consumer 或 Customer to customer，个人与个人之间的电子商务），那么你先服务好商家还是用户？这时候听听有经验的人怎么说吧，答案很简单——商家。

第二步：用最土的办法、低成本获得用户，搞清楚目标用户后，80% 的情境就是你知道去哪里找用户了。比如你就为中学生服务，那就去中学生扎堆的地方吧，发传单，设咨询台，找校方做赞助，做宣讲，总之别在家里待着。让那些鼓励你去买百度关键词、去分众买广告、去 CCTV 砸钱的人一边儿待着吧。

第三步：让第一批用户用得爽。我们只讨论运营层面，所以假定你的产品设计和体验是 OK 的，这时候爽不爽全在用户的心理感受，不同产品爽点不同，社交产品得热闹，工具产品得高效，内容产品得有料，如果没有咋办？好吧，你自己每天穿 50 个马甲不断激励你社交产品的种子用户，工具类产品就来人工智能，至于内容产品，你每天熬到深夜精选内容传上来再用 Photoshop（图片处理软件）美化一下，发布吧。

第四步：持续第一至三步。运营就好比夏天吹空调，你面对的永远是个老旧空调，热得要死的时候，打开空调没啥感觉，耐心等待，慢慢地温度就降下来了，爽点要在很久以后。而那些一开空调就冷气十足的永远是别人家产品，所以，坚持、等待，你会让你的产品不再冷的。

创业团队早期是怎样快速尝试和快速改进的?

产品上线后，看起来再完美的方案，也会因为一些细节没有被考虑充分而需要调整产品。快速尝试和开发的能力对效率而言非常重要。掌握正确的方法，在现有的方案上稍加调整，就可以解决大部分问题，而且成本更低。

■ 快速迭代能力靠累计而来

每个创业团队都想走得更快。但李天放[1]认为创业这事儿也不是想快就能快的。拼命往前跑说不定会出bug（缺陷）、犯错误，累死团队，到头来更耽误进度。

1. 减小目标

假如你把策划中的 4 个功能砍掉 2 个，开发速度立即就会变快一倍。本来计划中一个半月才能完成的版本，现在三周就可以发了。再说，早期产品功能少是好事。

---

[1] 课程格子创始人。

2. 别折腾

对于大部分创业团队来说，刚开始只有研发产品和找用户需求这两件事是有意义的。参加活动、聊模式、聊战略、混圈子、拉投资、找互联网大佬拍照这些事，都可以往后放一放。

3. 技术债务管理

有些CTO（首席技术官）喜欢一开始就启动"正确"的架构、框架和开发流程。但其实有的时候一些"不正确"的hack（侵入）更快更高效。问题在于长期走捷径会导致代码变得一团糟，不可收拾。"技术债务"（Technical Debt）是个很恰当的比喻：一开始借个头款可以帮助缩短起步时间。但最终不能不还债，否则整个项目就会被利息压垮。一个高效的技术团队知道什么时候该贷款，什么时候该还债。

4. 保持稳定的节奏

不一定要每天加班到后半夜，每周工作上百个小时才算快。创业是长跑，过于极端的频率是不可维持的。更重要的是能够长期保持稳定的进度，养成定时发布版本的好习惯。

5. 人是最重要的

到头来，团队的实力是速度的上限。要想更快只有一个秘诀：找到更好的人才。

■ 用微创新来尝试与改进

2008 年 7 月，360 推出了 360 免费杀毒的测试版，周鸿祎从产品反馈中发现效果不好。

我们购买了安全软件比特梵德（BitDefender）的引擎，做了一些简单的本地化开发，做了做汉化就推出来了。事实证明，不从用户需求角度出发，再好的软件都没有价值。这个杀毒软件太重、太卡、太笨。更重要的，不符合中国用户的使用习惯。

当时，竞争对手都在笑话我们：瞧瞧，360 号称的免费杀毒，就是这德行，说是放卫星，却放了哑炮。然后，他们就放松了心态，高高兴兴地接着去卖杀毒软件了。

对我来说，反思包括两个方面：第一，从过去的失败中能总结出什么经验，避免重蹈覆辙；第二，保持学习的心态，向用户学习，向竞争对手学习。

360 坚持要做免费杀毒，杀毒要免费，这是互联网的大趋势，即使我不干，别人也会这样干。在接下来的一年多时间里，我们就一直埋头苦干，做了很多不起眼的工作。这些事儿不起眼，但目标只有一个：让杀毒软件易用、有效，让用户用起来感觉爽。2009 年 11 月，360 免费杀毒正式版推出，竞争对手以为又要放哑炮，结果我们放了一个原子弹。

实际上，这些不起眼的地方，就是微创新。它们聚沙成塔，集腋成裘，就能极大提升用户体验。

第一，我们先解决"卡"的问题，其实就是让杀毒软件变快。传统上，杀毒软件在扫描硬盘时，只要发现病毒木马，不管是死的还是活的，它就要报（毒）。在改造比特梵德引擎的时候，我们换了一个思路想问题：像这种恶意程序，只有在运行的时候才会对电脑产生危害，这就跟一只大鳄鱼一样，它睡觉的时候是不会攻击人的。于是，我们就改变了报毒规则，不管有多少恶意程序，只有它开始执行的时候，360 杀毒才会报毒，然后迅速查杀处理。这样，就提升了杀毒软件的速度，用户感觉顺畅了很多。

第二，改变了开机扫描的做法。传统杀毒软件，是在电脑一启动，就开始进行安全扫描，一扫描就要占用大量的系统内存。用户一开电脑，就要处理一天里最重要的事儿，让用户等着杀毒软件，这很不厚道。于是，他我们就做了一个小改变。开机后不做扫描，让用户把重要的事儿给干完，再过一段时间，才在后台开始扫描工作。

第三，改变了杀毒软件的界面。360 的界面做得非常简单，只有三个按钮：快速扫描、全盘扫描、指定位置扫描。360 杀毒软件刚一出来，又引起一阵哄堂大笑，都说杀毒软件怎么能做得这么简单呢？怎么能做得这么白痴呢？太不专业了。事实证明，用户就是喜欢这样"简单"的软件。软件看着很简单，用户用着很方便，所有的技术都放在后台。

技术至上主义者喜欢把界面搞得跟迷宫似的，让用户看着望而生畏；喜欢把文字说明搞得跟微软的帮助文件似的，让人丈二和尚摸不着头脑。这完全违背了这样一个道理：用户选择产品，就像民主国家选择总统一样，永远是选择那些亲近选民的、把话说得通俗易懂的、能够代表选民利益的。技术至上主义者如果不改变思维，还生活在精英治国的语境下，用户注定是不买账的。

第四，不打扰用户。我一直认为，杀毒软件作为安全软件，是用户的保镖，出危险的时候要及时出手，平安无事的时候就得老老实实地在身后待着。还有，给用户安全提示，也得分什么时候。比如，你在全神贯注玩游戏、看电影，或者演示PPT的时候，突然冒出来一个打补丁的安全提示，用户非火大了不可。所以，360 免费杀毒默认开启免打扰模式，用户在玩游戏或者运行全屏显示的程序时，360 杀毒软件不弹窗提示，推迟升级、查杀任务。这样做，第一不会在用户聚精会神的时候打扰用户，第二不会占用电脑资源，优先保证用户手头上的任务。

I BELIEVE that EERYTHING will PAY OF

chance

¥

当机会来临时，所有的付出都会得到回报。

其实，不光是 360 免费杀毒，360 的其他产品上都有很多这样的微创新。对 360 来说，用户至上不是一句虚话，它切切实实通过产品展现出来了。

在 360，我们提倡"三个凡是"：凡是用户提的问题，一定要追根溯源，找到问题的原因，从用户的角度想解决的方案；凡是负面的信息里，即使是对手的攻击文章里，也要找到可以改进产品的启发点；凡是竞争对手的产品，都必然有学习借鉴的优点。

要想快速尝试与改进，要遵从用户至上的法则，然后通过微创新实实在在地将这个过程展现出来。

　　周鸿祎的产品哲学是，"坚持走自己的路，让竞争对手说去吧"。这里的"自己的路"，是他对用户体验的坚持。那些集腋成裘的微创新，不仅一点一点地改进着产品的细节，同样改进着用户对于一款产品的耐心和喜爱程度。聚沙成塔，在这样的心态中，快速尝试和改进，最后收获的不仅是一款好产品，还有好用户。

如何分析整理产品上线后的反馈？

我们的产品是一款为安卓和iOS操作系统设计的移动应用。产品启动得不错，

每天都有很多用户积极反馈。但用户反馈比较繁杂，有程序bug（缺陷）、设计缺陷、新功能需求，也有各种不靠谱的建议。该如何正确处理上线后的反馈呢？

■ 关注表达渠道和声音

作为一个热爱互联网产品的人，OurDearAmy[1]觉得：

不管用户说的对不对，都要以很好的姿态倾听，并给予感谢和确认收到的反馈。

根据你的目标用户、目标用户中的核心用户来区别对待不同用户的反馈，重视核心用户、目标用户的反馈，对于非目标用户的反馈，慎重考虑如果听从是否会损害目标用户的利益和产品目标。

挖掘目标用户反馈背后真正的需求；对于有些目标用户的反馈，可以进一步多沟通，更好地了解用户的想法。

再根据产品的目标（长期和阶段性的）排需求优先级。

有时候，用户的反馈不一定通过正式的"意见反馈"渠道提出，也不一定在表达上明确说明是自己对使用产品的意见和反馈，这需要产品经理和运营人员关注目标用户可以表达的渠道，去关注他们对产品的声音。

---

[1] 现微信产品运营团队成员，曾参与知乎早期社区运营，从 2008 年开始学习并实践互联网社区运营，她在知乎的产品运营话题下的经验是"好的运营通过设计机制、技术实现目标"，毕业于广外英语专业，曾作为 14 个译者之一网上协作共同翻译了 *Inspired: How to Create Products Customers Love*（《启示录：打造用户喜爱的产品》）。

■ 主动去接收用户反馈

黄海均[1]的看法是，不管用户是提了正确的意见、反馈，还是什么都不懂乱提一通，都应该要感谢用户，尽量回复他们，在沟通时字面上表示感谢。

什么样的反馈要关注？这要求得到反馈的人对此有判断能力。考虑以下这些点：问题是由一个什么样的用户提出来的？问题背后，用户为什么会有这样的疑问？有哪几种方法可以解决他的问题？如果是Bug，在什么情况下发生的？覆盖面多大？是否会影响到其他功能？

但很多公司的客服人员并不具备这样的判断能力。所以一些公司的做法是，让客服人员整理之后反馈给 PM（Project Manager，项目经理），PM 来决策哪些反馈要改进，哪些不理。这样的好处和坏处就是：PM 得到的信息是过滤之后的，不在第一现场。反馈给用户的时间周期也比较长。

PM 应该更主动一些接收用户反馈，和用户直接沟通。知乎和微博都是很好的渠道，但需要一些时间，在不同产品阶段可以用不同方法。

Dropbox[2]的处理方式值得借鉴，把用户投票最多的问题显性出来，让后来的用户继续投票或添加。

---

[1] 豆瓣产品经理，网易微博第一位产品经理，曾参与过知乎创业早期阶段，他在创业话题下的经验是"创业让人学习更多"。日常工作：写文档、挖需求、跟进度、看数据。

[2] 一个提供同步本地文件的网络存储在线应用。——编者注

"用户虐我千百遍，我待用户如初恋。"对待用户的反馈，就应该有这种对待初恋的精神。不论是面对"大嗓门"的用户，还是面对那些"沉默的大多数"，都要在他们的抱怨声中、行为中找到你需要的信息，然后改进，改进，再改进。与用户谈一场永不分手的恋爱！

亲历者说

王兴讲述校内网冷启动的全过程

产品的用途都是你帮某些人解决某些问题，因此你得明白是哪些人，你得明白是哪些问题。

我们之前做的多多友想面向所有人，而面向所有人的问题是你不知道怎么推广，推广密度就非常的低。后来做校内就非常明确，我们就面向大学生。而且开始时就是清华、北大、人大三个学校，这就非常具体，所以产品就是帮什么人解决了什么问题。

当时做了很多尝试，证明产品一开始起步还是很重要的。2005年8、9月份，我们觉得SNS（社交网站）这个大方向还是正确的，但是不够专注，那时候也不是一下子想到做大学生的SNS，当时想过两个细分方向，一个是小区为单位，一个是大学为单位。现在想起来大学比小区好一些。当确认以大学为单位的时候，我们就想推广活动。

校内真正上线后，我们决定了这个产品一开始做的推广活动。清华大学的每个系会有学生节，电子系的学生节就在十一月十几号。电子系是清华第一大系，而且学生节质量还蛮高，所以想看的人很多，那年的学生节是在大礼堂进行的，二层是不太坐人的，一层能坐一千个人左右。但是太多人想看，电子系本科生、研究生、老师、外系的，所以要去领票，后来还要抽票，我们当时找到电子系的学生会说，校内网可以赞助3000元钱。宣传材料上可以把校内网放上去，同时把学生节晚会的抽奖、抽票的活动放在校内网举行。现在回头来看这是一个非常正确的决定，因为抽奖中了你是需要身份证明的，所以报名的时候就是需要填写真实姓名，否则即使抽中的话你也没法领这个票，所以从一开始就奠定了一个非常重要的基调。

创业贴士 \\\\\\\\\\\\\\\\

汪华强调的互联网产品
早期推广的注意问题

■ 做流量本质上是做用户

汪华认为，互联网产品做流量，不是雇几个小孩，花钱买广告，或雇几个商务运营就可以自动解决的事情。本质上需要CEO、产品经理自己去想，而这里面误区其实非常多。

其中一个错误是，简单化冲指标。当年的互联网公司，无论是视频网站还是财经网站，经常在网盟里放一些丰胸、裸女等火爆的标题，把流量导到自己的网站。他们投入了很多来提升自己网站近期的运营指标。但是，这真的会带来实质性的效果吗？道理听起来很简单，一到执行层面却是非常容易忘记的。实际上互联网的推广，包括前段时间团购网站的推广，花出去的钱中，80%甚至90%没有意义。

■ 不能忽视产品

产品、用户获取和运营实际上是三位一体的。不少产品出身的创始人相信，只要产品本身做好了，接下来推广就很简单了。做流量实际上就是研究产品如何到达用户，这和产品本身是一样重要的，也是个产品问题。比如游戏网站Zynga，他的早期游戏本身其实和之前的没有区别，但它是第一批很好地利用了Facebook，把游戏从核心玩家到达了蓝海用户。新的用户到达方法本身就能成为巨大的创新。

■ 推广前产品质量自查

如果产品要做推广，先得保证做好哪几件事情？产品和质量是非常正确的答案。你一旦要准备做推广，或者想明白了这些东西，第一个问题就是产品是不是已经好到可以向你设定的这些人群目标推广的地步。这里面有好几个步骤要做。

1. 产品本身值得向这些用户推广。你要在已有的用户里做测试，保证你要推广的那些目标用户在你产品里各方面的表现参数指标都是足够好的。

2. 你的产品必须是可被推广的。推广是指你花了钱在别人那里买了位置，或者买了用户到达的机会。用户只会给你 10 秒钟的时间，而你的产品是不是已经做得清晰、简明、明确，能在 10 秒钟内让用户产生兴趣进入探索，而且在接下来的 3 分钟内愿意再次使用？而你要有办法在一周之内继续联系到这个用户，想办法让用户回头。这是一个基本的概念，就是 10 秒钟、3 分钟和一个礼拜。

3. 你要有一些基本的跟踪代码，无论是软件或者网站，能给从不同渠道来的用户做精确的定位，并且知道不同渠道的用户之间的差别是什么，效果差别是什么，跟其他的用户区别在哪里。如果你没有这点意识，做推广等于浪费钱。

■ 产品和推广有深刻内在联系

如果产品的第一版已经做好，系统稳定，就可以推广，没有必要延迟。

不要在开始时仅仅在内部做研发，不停发布新版本，因为竞争对手也会不断出新功能，会使你陷入不断追赶的恶性循环。产品和推广是根和叶的关系。工程师对于产品开发往往过于乐观或者追求完美主义，会不遵守进度。但除非遇到不可抗力，产品的发布周期一定要严格遵守，甚至就算削减功能也要严格遵守发布周期。要理性对待竞争对手的动作和用户的新需求，有合理的开发计划，不要随便改变当期的战略。

在做最初的产品推广时也有技术性的技巧，比如邀请熟悉的用户，控制用户规模，控制发布的节奏，控制其他限定条件等。早期阶段的推广是一种内测，就是在真实的商业环境中，在真实的用户群里，验证最初的设想是否正确，最初的版本会不会出 bug，观察用户的真实行为。

产品早期的推广要注意以下问题：一要明确要达到的目的，如果是要通过测试来获得用户数据和早期反馈，首先就要注意使用什么渠道、推广给什么用户；其次要知道要测试什么功能。二要在系统里加入足够的反馈机制，比如服务器的日志跟踪，记录每天用户的下载量等。早期阶段的推广要进行跟踪和统计，来了解产品的稳定情况、产品的活跃度、用户的实际行为，并联系上最早的用户进行沟通。

在产品的早期，比如从 0 元到 1 万元的增长阶段，如果出现问题往往不是推广的问题，而是和产品策略、用户策略、产品质量、交互体验、初始用户群、初始渠道有关，要深刻检讨这些方面可能存在的问题。

■ 互联网创业公司在产品推出早期有哪些推广方式？

互联网的推广在早期非常简单。首先必须要做SEO（搜索引擎优化），包括选个好的域名，建立结构合适、内容充足的网站，选定要互换的链接，选定要优化的关键字等。SEO是成本最低、最快的获得初期用户的方法。

二是口碑和链接的推广。这适合早期的小团队，需要的用户量又不大的时候。比如在相关的论坛、群组、QQ群发"水帖"，发布产品消息，这样便于获取典型用户。

三是可以进行线下的推广。线下的优势在于可以和用户面对面，获得真实的反馈。有时线下推广比线上更有效，曾经有一个做打工妹、打工仔的社区，用一车西瓜到工厂获得了几百个用户，这样几百个用户带动了更多的人加入社区。再如校内网最早去学校送鸡腿也获得了早期的使用者。是否采用线下手段，一是取决于用户是谁，二是取决于产品性质、用户的生活圈子和产品是否契合。

四是要进行产品自身设计的完善，产品设计时要有推广的属性，有很多的产品天生有传播性，一个用户使用之后有动力向其他人传播，比如手机上的通信软件Talkbox。虽然传播性和产品品类相关，但也可以设计出来，比如网游或者社交游戏。Dropbox产品本身没有任何社交的属性，但通过设计达到了社交的目的。它最初给用户10G的空间，当10G不够用的时候，用户就要付钱购买更多的容量。因为用户已经上传了10G的内容，就不会轻易地离开，这样就有了用户黏性。如果一个用户邀请更多的用户，Dropbox就向这个用户赠送免费的空间。对Dropbox来说，这样用户获取的成本很低。但在进行用户成长设计的时候，要注意让用户成长到一定阶段再赋予他更复杂的任务。无论在推广的哪个阶段，进行产品机制的完善和用户行为分析都是非常有效的方法。在团购发展早期，美团网就是靠好的产品获得初步的发展，比如25元的电影票和10元的推券。10元推券也是一种设计出来的具有社交属性的产品。但要注意让拉人的人和被拉来的人都有利处，这样双方都会更加积极。

■ 移动互联网应用有哪些推广方式？

在手机上的推广渠道并不多，主要是各大应用商店和相关渠道。

技术手段

1. 排序算法。其中有些小技巧，比如打榜。花点钱快速冲榜，上榜后就不再花钱。同时要以合适的频率更新产品。

2. 研究用户搜索习惯和搜索关键词，把产品名字和关键词进行匹配。

3. 如果你做的是收费软件，可以定期做限免，也会让下载有很大提升。

总之要充分理解系统是如何运作的，利用各种方法去破解系统，抓住可能的机会。

商务手段

和软件联盟以及渠道保持良好的关系。在早期发现新的平台进行合作，就会获得会更好的待遇。

社交或口碑推广

互联网结构演变：门户—搜索引擎—社交网站。现在，一个新的应用里超过一半的注册用户是来自社交网络。目前,搜索引擎已经和社交网络分庭抗礼。因此,你或者是自己建立社交网站,或者就要研究如何在社交平台上做推广,而且从产品设计的伊始就要考虑如何在社交网络上做推广。

现在新浪、腾讯开放出来的资源要良好应用。他们目前也是处于某种创业阶段,其员工也是刚刚调入这些部门,方便我们争取早期合作,可以和他们建立兄弟加同志的情谊。至于这些平台如何利用,可以有以下方式:

1. 建立微博账号。

2. 你的产品要有比较好的用户自我推荐、再激励机制。

3. 你的产品要对微博平台有回馈的能力,不仅仅是索取。

4. 微博上的推广方式:抽奖、名人推荐、制作社交插件等。可以参考美图秀秀的微博。学习做得好的微博,包括它们微博的内容,微博发送的频率和时间,以及其他各类操作手法。

■ 互联网产品推广有哪些基本步骤?

一个产品的推广要划分很多步骤,从用户第一次使用到真正把用户维护和固定下来,加在一起是一个完整的链条。

先说前端吧,要做的第一个事情是媒体的选择。这些做法非常多,而且具体到每个媒体、每个方法,这些前端的操作都不一样。比如针对搜索引擎,若花钱，你买什么关键字？若不花钱，你如何做SEO？如何让自己的页面出现在更多的搜索结果里，这是一个大原则。

要做的第二个重点是引导页（landing page），对于网页来说相对简单，就是点击广告之后终端页面要跳转成功。这要保证你的落地页面足够快，有非常高的兼容性。无论通过什么样的浏览器和什么样速度的网络，都必须在几秒时间里落地成功。

以网站为例，哪怕公司所有其他的服务器都租不起最好的，这个服务器要放在最好的机房里。如果其他页面都用了很多动态、超大的图片，这个落地页面就把它做成静态页面或者非常小的页面，让它能被非常快地打开。

如果是客户端，首先跳到一个下载处，让用户下载成功。如果用户没有打开允许从第三方来源下载这个网站，这个下载就有可能失败。所以下载的过程中还得有明确的提示帮助他解决问题。就算下载成功了，用户可能都忘了这件事。尤其是假如用户是从豌豆荚这样的地方一次批量下载了10个软件，可能都忘了你的这个了。怎么样把下载成功率提高，怎么样让用户激活打开它，这都是非常重要的步骤。

再举一个例子，很多软件，哪怕不是很大的软件，都先给你下载一个200K的下载器，然后再下载。因为，第一，200K很容易。第二，下载20兆的时候有可能下载软件停了，或者用户重新启动机器。第三，就算你重新启动机器，下载器也可以继续下载，而且下载完了之后可以确保让你的软件运行。手机上有很多这样的做法，尤其是个头比较大的软件。比如在安卓上，尤其是针对早期机型，如果你的软件尺寸超过两三兆就会比较麻烦，在中国，标配的手机SD卡的容量都很小，如果你的软件尺寸是几十兆，用户下载完了根本装不进去。

第三步是用户的一次转换。这里面牵扯到非常多的问题，比如，10秒钟之内你的产品能给用户留下什么印象。首先，能不能用一句不超过10个字的话描述清楚，你的产品是干什么的？或者你的产品有很多功能，但是在这个推广阶段你要非常明确地知道产品想吸引哪个用户群，你想用户来做什么。举个例子，YY本质上能干很多事情，但在一个具体的推广阶段是非常特定的。比如YY针对百度贴吧某个私群做推广时，产品的特点就弱化到"这边有无数能听歌的地方"。最好的一点是，能用一句话使用户明白这个产品整体是干什么的。如果做不到这一点，起码要想明白针对这个客户群，产品是用来做什么的。如果这点没想明白，很难有好的效果。

还有一个根本原因，通过推广"捞"回来的用户，理论上都是对你没概念的用户，不知道你的产品。而且有很大的可能是，他是用过很多产品的用户，甚至可能也用过你的竞争对手的产品，那他凭什么要切换到你这边？所以，这10个字里面不但要说出你的产品给他带来的好处，还要明确告诉他，你能帮助他完成这件事的同时，在哪一点上比别人强很多。除非你第一个实现这个功能，而且这个功能有很强的需求。比如，Talkbox刚开始做推广的时候，只需要说"我是做免费对讲"就可以了，因为当时世界上没有其他任何一个手机软件有这个功能。但是后出的对讲机应用Voxer，他要做推广时就必须强调"我是多方都能同时说话"，因为你已经不是第一个做这件事情的人。所以在10个字的描述里，你要想明白这些人在这里面干什么，有什么突出的优点。

还有，这个页面的本质作用是在10秒钟之内让用户明白你是做什么的，并且了解你有什么优点。如果你运气很好，产品本身就有一个现成的页面可以满足用户的需求，但是99%的情况是，这个页面必须单做。

一是为了在10秒钟之内给用户留下印象，二是因为，要想跳转到用户对产品有更深层次的了解和探索，或者用户愿意做更深层次的交互，你就要设计好所有的入口。用户看了10秒钟愿意继续看下去，就要给用户做一个导览。这个时间希望值不要太高，可以把它设定为3分钟。在这3分钟里，你想用户干什么？这种可能性非常多，因为大家的目的不一样，做法也就不一样。有的可能想进一步加深用户的印象，有的想给用户看一些网站的内容。同时，除了让一部分用户对产品产生印象，还要让一小部分用户留下点什么，能让你以后主动找到我。

这也是很多网站采取分阶段的注册方法的原因，用户第一次使用只需要留我们在知乎聊什么？

下邮箱地址或者手机号等。如果要让用户提供更多的信息，一种方法是分阶段，另一种方法是给用户强有力的理由。比如，没有用户会真的愿意提供生日，但是前段时间有团队做一个化妆品网站，要给用户做一个简单的肤质测试，用户不知不觉地就把自己的年龄信息提交了。这方面要有非常多的技巧，当年我在谷歌，很多产品针对不同的渠道和不同的用户群，写的页面都是不一样的，他们就是精细到这种地步。

再下一步是更重要的过程，可以把一个用户初次访问和之后两周里面，把它当成一个网游的RPG（Role-playing game，角色扮演游戏）升级游戏。用户对你有了初步的了解，你也知道该怎么去联系他，如果用户在两周内第二次、第三次到达网站，就应该逐步地让他加深印象和展示更多的功能，逐步提高用户对你的好感，保证在两个礼拜之后用户还能再次访问。用户导入过程是非常细致的。

像社交游戏甚至传统的客户端网游，在这点上往往狠下功夫。因为这对他们来说是直接的生死之线，是马上能见到钱的。但对于不挣钱的产品来说，没有一个硬指标在后边，往往很忽视这个过程。那些游戏很少会在用户第一次玩或者第一级的时候就把所有的功能展示给用户，也不会在第一级的时候就强迫用户去交友。他们把用户设定成一个成长曲线，在几天或者到什么阶段给用户什么功能，这是非常明确的事情。

以游戏或者社交网站为例，不同的做法在三天留存率、一周留存率和两周留存率上就能差好几倍。所有的这些转换工作，媒体选择得好和不好就能有几倍的差距；引导页配比每个步骤不同也可以有10%的差距，最后一次转换、二次转换提高很多，实际上是很容易的。而二次转换到三次转换，到三天留存，再到七天留存，甚至到两周留存，每一个环节只要差百分之十几，最后的结果就会差好几倍。完全的留存不但需要你对产品、用户认识清晰，还需要细致的运营、策划、产品开发团队的介入。

■ 互联网产品取得用户对网站的信任，有哪些基本原则和有效方法？

一个基本的原则是用户对网站的信任度是随着用户对网站的使用逐步建立起来的。一个应用或网站需要用户的信息，希望通过一个用户可以吸引更多的用户，必须要靠build（一步步构建产品来引导）。比如用户资料的获取，可以采用逐步让用户导入的方式。先让用户来浏览网站，当用户使用一段时间后，再提示必须注册才可以继续使用。之后再给用户推荐新的功能，建议用户上传照片、电话等信息。在获取用户信任感的过程中，必须考虑用户的沉迷度，逐次进行索取，不能一蹴而就。比如网游，考虑最多的一个问题应该是一个用户的生命周期。在第一秒抓住用户的眼球，之后让用户领略游戏的内容，接下来要设计好用户注册的第 3 天、第 5 天要做什么。要在应用中设计用户的成长曲线，计划好在每一个时点想让用户做什么。

在具体执行时，对用户的强需求可以粗暴些，弱需求可以一步一步进行。强需求是用户必需的，弱需求是用户可有可无的需求。当然，强弱需求是可以转换的。

NO USER VALUE

NO COMMERCIAL VALUE

没用户价值，就没商业价值

第8章

人才与团队管理

如何管理问题员工？

我们有一位早期员工，在团队中贡献很大，也非常尽职。尽管不会犯大问题，但经常会虚报一些小钱。这样的人如何管理？

■ 干脆爽快点儿

农筠[1]认为每个月给他一定的额度，让他拿发票来报销（反正发票可以做进成本项里，公司也少扣点税），同时变动一下他的职务，升职或者设立个什么特别职位给他，省得别的员工觉得不公平。

---

[1] 食品饮料业管理者。

让财务部门的人给他培训财务常识，让他明白底线在哪儿、擦边球怎么打，避免以后一不小心触犯法律，拖累整个公司。

有能力的员工难找，有能力又肯出力的员工更难找。他既然有贪小便宜的心理，其实更好控制和管理，你也懂得拿什么能留住他。

每个月给他划拨一定的额度，体现了公司对他的重视，面子和里子都有了，他的忠诚度自然就上去了。君不见，台湾地区一定级别以上的高官都有自己的"特别费"嘛，薪酬和能力一定要匹配。

个人觉得所谓"不能重用"的说法很幼稚，能力摆在那儿，你不重用这种人你去重用别的能力不强的人？你还能用谁？

看到有人建议狠抓制度、处罚员工什么的，忍不住心里冷笑啊！很多外企就是有这样的高管黑着脸坐在HR（Human Resource，人力资源）的位置上，"为国外先进技术向国内传播做出巨大贡献"（引号是表强调，不是表讽刺）。这种僵化的思维也就是能用在流动性差的岗位（如公务员、公立医院职工等）或技术含量差的"铁打的营盘流水的兵"（如流水线上的操作工）等岗位上了。别说现在衣食无忧的90后员工不吃这一套，我身边上有老、下有小的80后也没几个买账的。拿欧美人的管理学来管中国人？你以为现在什么年代啊？

换新人的代价是很高的，尤其当该员工在研发团队或销售团队里时，你把人惹毛了，人家转眼跳槽到竞争对手那边，还带走了关键资源，你能担得起这个风险？（不要跟我扯什么竞业限制协议，你把人家的面子和自尊心伤了，还指望人家遵守竞业限制？）

即使是风险稍低一些的物流部门或行政部门，我也亲眼见过新人是如何在一个月内败掉十几万空运费的。

所谓HR的话，听过就算了。有件真事儿，从前，某个汽车零部件公司是行业领先的外企，结果，他们的仓库总监监守自盗了，物流总监跳槽了，财务总监罢工一段时间后也跳槽了，技术总监跳槽了，最后总经理也跳槽了……只剩下人力资源总监得意洋洋地开除了一个贪小便宜多拿了厕所手纸的操作工，来彰显自己的威风……其物流经理从海归硕士换到国内MBA毕业生再换到成人本科毕业生；物流工程师从会四国语言的，到只剩下几个英语口语不灵光的跟国外供应商沟通都磕磕绊绊的，只用了两年时间。

初创员工之后进入的新人要如何融入早期核心团队？

我们已经拿到了A轮融资并且完成了第一轮团队的扩招。A轮后进来的员工在水平、经验、能力上比最早的团队成员更强一些，所以产生了一些团队磨合的问题。但我们不知道如何更好地建立创业公司文化，以便让后加入进来的成员更好地融入早期团队。

■ 建立股权池，不拘一格降人才

把能人引入进来后，如何和最初的团队达到融合？这是很多企业在发展过程中都会遇到的问题。

在这里，周鸿祎的建议是：要突破这个瓶颈，需要在激励制度的设计上下功夫，就是要准备一个大的股权池，无论老员工还是后来者，都能从企业价值的持续增长中获益，这样才能保证一个良性循环。

创业首先是一个马拉松，没有十年八年，出不了结果。创业又像是一个接力赛，需要新鲜血液产生一波一波的动力。所以，创业就是以百米冲刺的速度，一波接一波地跑马拉松。如果没有这些新人加入，永远是那一批老人去跑马拉松，那要么是没跑多远就被淘汰，要么就是半路累吐血了。所以，企业要有一种良好的激励机制，使得在每一个阶段，都能够有一批人，接过这个接力棒，继续往下跑。

如果没有良好的激励机制，新老团队的磨合就会出问题。新的力量进入老的团队，就像把牛奶注入咖啡里，如果不能很好地搅拌，咖啡永远是咖啡，牛奶永远是牛奶，喝起来肯定不是个味儿。很早进入了公司的人会把自己看成最早一批的"元老"，担心新人会取代自己的地位，可能会对他们产生一种强烈的排斥情绪。而新人会觉得，自己能力更强，为什么元老们能够心安理得地享受股权，自己只能挣那份年薪？如果这两种想法一直不解决，会在公司形成一个个独立的小团体，让两拨人渐行渐远。

所以，我觉得企业要建立一种价值观。首先，认可早期员工的价值，告诉他们，你可以拿到最早期的股票期权，你的条件是最优惠的。但是你一定要认可后面进来的人，不能把他当成对手。其次，后面进来的新人，公司也给他们分享股票期权，他们的努力工作一样获得相应的回报。

首先，一定要把公司的股权预留出很大空间，不要杀鸡取卵，刚开始创业就一下子分个底儿掉。创办360的时候，还没有开始融资，我们先拿出了40%分给员工和团队。后来虽然因为多次融资而稀释，但是到上市的时候，还有超过20%的股份是分给员工的。360员工持股的比例在中国所有的互联网公司里面，应该是最大的。

其次，创始人要勇于牺牲，不能独占股份。须知"人聚财聚，人散财散"。360的员工是公司最大的持股人，我的情商也不高，脾气也不好，但还有很多人愿意跟我合作。在360，一直与我合作的人，有15年以上的，也有10年以上的，7、8年的更是比比皆是，可能就是因为我舍得跟大家分股票。

最后，要给未来留机会，有长远意识，保持一定股份激励。就算是拿出40%来分，也总有分完的一天。股份分完了，难道企业就不需要人才了吗？一个企业对人才，永远是饥渴的，永远是需求的。所以在上市之前，我们做了一个计划，一旦股票分完了，可以随时再增发 5%，会永远保持 5%。

360 的员工能保持很好的稳定性，也很有创造力，这与 360 的股权池设计是分不开的。有很多骨干力量不断加入进来，一是因为他们有梦想，想找到实现梦想的平台；另一个原因，不是虚的，是因为他们能够得到更好的经济回报。所以，建立一个合理的股权蓄水池，才能不断有"源头活水"注入进来，有新的力量来带动革新，这是企业发展壮大的一个关键。

应该如何通过工作笔记来提高个人的工作效率？

■ 善用工作日志

酷拉皮卡❶*为我们分享了他使用工作笔记的习惯经验。*

身为产品经理，似乎工作时间永远都不够用。市场研究、产品设计、研发项目跟踪、运营数据分析及营销支撑，产品的各方面工作都要产品经理参与，忙前忙后，劳心又劳力。记得两年前我刚做产品经理时，每天晚上 11、12 点下班是家常便饭，白天开会晚上写文档，苦不堪言。逼得我不得不学习一些时间管理的理论及方法，以便提高工作效率，把工作做好。

---

❶ 专注于第三方支付。

为了能够提高工作效率，我曾经混迹于各类时间管理、GTD（get things done）网站、论坛，购买了多本书籍，并结合自身情况反复实验各类方法，终于在经历一年多的时间后，找到了一种提高工作效率的好方法：养成每天写工作日志的习惯。

简单地说，工作日志就是把你每天做了哪些事情都记录下来，以下是我的工作日志表。在每天下班前我都要安排好下一个工作日的工作计划，并要求细化到小时。

每天的工作计划

星期一	
今日计划（Plan）	
8：30~9：00	1. 验证上周末××产品升级情况；
9：00~10：00	2. 编写××产品规范书；
10：00~11：00	同上
11：00~12：00	3. 与用户体验部门沟通××产品用户调研项目； 4. 与××厂商沟通××合作开发项目；
12：00~13：00	午休
13：00~14：00	5. 参加××产品每周工作例会；
14：00~15：00	6. 编写××运营活动数据分析报表；
15：00~16：00	7. 与营销组沟通××营销方案产品设计需求；
16：00~17：00	8. 编写××产品月度汇报材料；
17：00以后	
今日完成（Do）	
8：30~9：00	
9：00~10：00	
10：00~11：00	
11：00~12：00	
12：00~13：00	
13：00~14：00	
14：00~15：00	
15：00~16：00	
16：00~17：00	
17：00以后	
检查（Check）	
总结（Action）	

等一天的工作完毕后，以上的表格就变成了下面的样子：

每天的工作总结

星期一	
今日计划（Plan）	
8：30~9：00	1. 验证上周末××产品升级情况；
9：00~10：00	2. 编写××产品规范书；
10：00~11：00	同上
11：00~12：00	3. 与用户体验部门沟通××产品用户调研项目； 4. 与××厂商沟通××合作开发项目；
12：00~13：00	午休
13：00~14：00	5. 参加××产品每周工作例会；
14：00~15：00	6. 编写××运营活动数据分析报表；
15：00~16：00	7. 与营销组沟通××营销方案产品设计需求；
16：00~17：00	8. 编写××产品月度汇报材料；
17：00以后	
今日完成（Do）	
8：30~9：00	1. 完成上周末××产品升级情况的验证；
9：00~10：00	2. 编写完毕××产品规范书；
10：00~11：00	同上
11：00~12：00	3. 与用户体验部门沟通完毕××产品用户调研项目； 4. ××厂商有事未到，讨论延期，明天继续；
12：00~13：00	午休
13：00~14：00	5. 参加××产品每周工作例会；
14：00~15：00	同上 6. 例会时间过长，导致没有完成××运营活动数据分析，明日继续；
15：00~16：00	7. 与营销组沟通××营销方案产品设计需求； 8. ［临］：与老板沟通下季度产品规划；
16：00~17：00	9. 编写完成××产品月度汇报材料；
17：00以后	同上
检查（Check）	
今日得分：B 计划工作：8；完成计划工作：6；完成临时工作：1 原因：××厂商有事未到、下午开会时间过长。	
总结（Action）	

解释一下表格填写要求：

1. 按照PDCA循环（戴明环），将工作日志分为 4 个部分：计划、完成、检查、总结（Plan，Do，Check，Action）；

2. 在"今日计划"里，将当日重要的工作任务列为必须优先完成的工作项目，用特别标记标出（如红色，星号等）；

3. 每完成一项工作，就在"今日计划"里在该项工作上划删除线，同时在"今日完成"区进行填写，表示该项工作完成；

4. "今日完成"区里的"[临]"代表临时的工作任务，不在"今日计划"中；

5. 如果某项工作当日未完成，就用红字标注，下班后统一放置在后期的工作计划里；

6. 每天在"检查"区里给自己打分，A 为优秀，完成全部工作任务；B 为良好，完成大部分工作任务；C 为合格；D 为最差。定期汇总分析，如果发现近期打分较低，就要考虑是工作任务过重还是临时任务过多等原因，找到原因后就要想办法解决，免得压垮自己不说，工作任务也完成不了。

7. 每天在"总结"区对今天的工作进行总结，成功的经验要加以记录并在后期的工作里推行，失败的教训要加以总结，避免以后再犯。

仅仅做每日工作记录是不够的，每周、每月都要进行计划和总结。原理大同小异，都是在周初、月初的时候，对本期的工作目标、内容做总体的计划安排，设置优先级，然后每天记录。到周末、月末的时候，再进行总结，看看计划的工作是否完成，效果如何，等等。

具体到产品经理这一职位的工作记录，首先我将自己的工作内容分解为5个方面：

1. 市场研究：包括研究市场发展趋势、竞品分析、用户调研等；

2. 产品设计：产品规划、需求整理、产品设计等；

3. 项目开发：跟踪各类研发项目、对外合作项目的进度等；

4. 产品运营：参与运营数据分析、客服、运维支撑，将运营数据、用户反馈转化为下一个版本的需求；编写各类产品文档等等；

5. 市场推广：为营销、市场提供相关的产品支撑等。

然后在月计划、周计划里，将当前的各类工作任务进行适当地安排。各类工作的时间资源分配比例大致为：市场研究10%，产品设计25%，项目开发20%，产品运营35%，市场推广10%。工作安排好后，每天就按部就班地执行下去，如果遇到临时任务，或者情况变化，随时都可进行调整。

经过大概1年的实际运用，我感觉自己越来越具备掌控工作内容的能力了。每天写工作日志，可以给你带来如下几点好处：

1. 提高计划能力。有助于培养自己具备将整体工作目标根据实际情况分解到日常工作里的能力。凡事预则立，不预则废。

2. 提升执行能力。让你在工作时分清主次、更加专注、高效。制订工作计划后，还需要强悍的执行能力，确保工作一项一项完成，直到完成工作目标；

让你工作分清主次。重要的工作事先要多多安排资源、时间，不要吝惜。不重要的工作可堆到一起统一处理，实在处理不完延期一两天也不影响大局；

让你工作更专注。有任何临时的工作任务你先记下来，然后再安排到某个日子某个时段，而不会打搅到你现在手上的工作；

让你工作更高效。将每日的工作安排到每个小时里，督促自己必须按时完成工作，否则每天的工作总结会很难看。

3. 增强业务能力。通过每天检查记录的工作内容，进行自省、反思、总结，不断积累工作经验，有助于增强业务能力。

最后，跟大家分享古希腊哲学家亚里士多德的名言：优秀是一种习惯。在工作和生活中，我们仰慕优秀的人，我们都渴望自己成为一个优秀的人，但是又似乎感觉优秀是一个遥不可及的目标，很难达到。其实，优秀离我们并不遥远，优秀体现在你的一言一行、你做的每一件事之中。有意识地培养好的工作习惯就是在追求优秀。追求优秀是一种积极的意识，这种意识可使一个人脱胎换骨，最终成就一个全新的你！

■ 纸质笔记＋数位笔记＝高效率

Chada[1]的建议是纸质笔记本＋数位笔记服务两种方式。Chada是做产品设计的，会随身携带纸质笔记本，甚至常常在有想法的时候，随身任何小纸片都会用来记录。然后会使用手机将纸质笔记拍下上传到数位笔记中稍后整理，或与同事分享。

纸质笔记选材可以很随意，也可以很讲究。

数位笔记我推荐 Evernote（印象笔记）这一软件，我从 2008 年 3 月开始使用 Evernote，几年来它给我的工作和学习带来了极大的便利。优点如下：

1. 全平台。

你可以在电脑上记录笔记，在乘坐公交地铁时通过移动设备温习；或者在乘坐公交地铁时想到某个方案简单记录下来，到公司或到家后在桌面整理；在上网冲浪时看到有用的资料，马上通过Bookmarklet选取需要的文字，记录到Evernote中；

2. 易分享。

记录下的笔记如果需要和同事朋友分享，通过Evernote的分享功能马上给对方发送邮件，或者直接在IM上甩个链接过去。

---

[1] Uni Messenger 产品＋UI 设计师。业余前端开发和交互设计。

结合ifttt❶还可以预设触发条件，自动分享到社交网络如Facebook、Twitter等，或发送电子邮件到指定邮箱。

3. 多媒体。

除了文字，还支持图像和声音。

有个爱读书的朋友，看书时手机不离手，看到有用的内容都用手机拍下来传到Evernote中，待完成阅读后进行整理。

而我自己平时在一些小纸片上画的原型草图，也会使用手机拍下传到Evernote，回到桌面环境时再使用Axure或Photoshop等软件将想法重现。

4. 易归档。

你可以给笔记分类，以及给每一条笔记添加相应的标签来归档笔记。经过一段时间的分类和添加标签，你会发现自己的Evernote形成了一个逐步成长的知识体系。

刚开始使用Evernote需要有一段时间来形成习惯，包括对笔记进行分类、添加标签等。在养成习惯之后，一切便水到渠成了。养成记笔记并且定期整理笔记的习惯。

---

❶ 通过不同其他平台的条件来决定是否执行下一条命令的网络服务。

PLEASE ATTENTIVELY complete EACH ONE THING

把一件兵器用好，胜过你拥有千万件。

工具的力量不能忽视。工具帮助我们节约时间，提高效率。工具之于我们就像是兵器之于一个武林中人。五花八门的兵器可能会迷惑住我们，反而将我们拖住，我们需要挑一把自己趁手的兵器，然后就开始修炼吧。把一件兵器用好，胜过你拥有千万件。

自己的钱、股东的钱和公司的钱之间有什么区别？

"把别人的钱装进自己口袋里"是人们常说的一句话。但是作为一家公司组织，"自己"这个词语的定义是非常模糊的。那些大部分资金都是自己筹备的创始人，往往觉得因为公司是自己的，所以没把个人和公司分清。当有个人资金需求时，就从公司账户上直接提取，无意识地构成了违法行为。

刘秀苹[1]*给出了非常专业的解释。*

创始人自己的钱应该是创业的第一笔资金。这个资金可以用作公司成立时的注册资本和公司最初的运营。创始人应该根据自己的经济实力合理规划这笔资金，作出一个预算，弄清楚自己的资金可以使公司按照自己的规划使用多久。通常来说这笔资金应该用在对公司最重要、最核心的事情上面。创始人在公司

---

[1]　创新工场财务副总裁。

成立之前进行垫付，或者从个人账户而非公司账户进行支付时，要考虑清楚，这笔钱未来是否需要公司偿还；也要考虑清楚支付类似合同款或是员工薪酬等项目时涉及的法律合规问题。

股东的构成也许会很复杂，有可能包括：创始人、核心员工、天使投资人、财务投资人、战略投资人等很多身份。根据身份的不同，各自资金的来源和目的也有不同，总体来说可以将股东分成公司自有股东以及投资人两个大的分类。

以创始人为代表的股东的资金，追求的是公司价值最大化，带来的相应股权价值的体现，可以接受更长的回报期。股东可以增资或借款给公司，作为公司运营资金，但这个过程要考虑对既有股权结构的影响。

投资人的资金既然是投资，必然是要求回报的，而且投资人因为要对其资金来源负责，因此通常会有退出的时间要求，投资人追求的是投资回报率和快速退出取得回报的能力，也会经常通过委派董事或是合同约定等方式对资金的使用加以限制和监督。

两类股东的最终目的方向一致，但确实存在短期内目标可能不一致甚至冲突的可能性。这也就是创始人在可能的情况下会尽量选择对自己的产品理念和经营方式认同的投资人的原因。

公司的钱，来源包括股东增资、外部借款和收入等。公司的资金使用会根据不同类型满足不同的要求，比如上述投资人的款项要求；借款要符合借款使用范围和期限要求；收入的使用则相对灵活，由公司的管理层和治理层共同决定。无论哪种来源的资金，都必须放在公司的框架下考虑，在法律法规和公司章程规定许可的情况下以公司的利益为出发点合理使用。

　　总体说来，管理层应该在资金使用前按照其来源和使用范围划出清晰的集合，尤其在使用处于交集的资金时，应注意各种资金的不同性质，才可以保证资金使用的安全和效用最大化。

　　自己的钱、股东的钱和公司的钱因为各自的来源不同，所以拥有了不同的属性。但是这三者的属性是有一定的交集的，所以划清这些钱的属性，做出清晰且明确的金钱集合，才能保证在公司发展的不同阶段，资金使用的安全和效用的最大化。

创业公司在设立时注册多少资金合适？为什么？

如果是做互联网公司，范凯的建议是注册资金至少100万元人民币。

■ 注册资金与营业范围有关

范凯[1]*认为，一般来说注册资金多少有以下考量因素：*

1. 注册资金越多，验资和相关审计费用越高，所以必要的情况下，可以尽量少一点。而且现在审计比较严格，往往需要实到资金，所以如果你没有那么多资金，但是注册资金写高了，可能公司注册不下来。

2. 如果预期需要资金量比较大，且日后可能增资，建议注册资本一次到位，增资比较麻烦，且增资可能还要交很多税。

3. 有些业务的营业范围和注册资金多少有关系，达不到必要的注册资金门槛，营业执照就不能写这个营业范围，你签合同和开发票就很麻烦，有些正规的大客户和你签合同的时候要看你营业执照，没有这个营业范围的话，就不能和你签合同了。所以先了解清楚，你的业务需要的注册资金门槛是多少。

---

[1] 网名robbin，互联网创业者，前JavaEye网站创始人。信仰互联网，Entrepreneur nerd。

4. 做网站的话，参考自己的网站性质，需要申请不同的牌照，而申请牌照也有注册资金门槛，例如申请ICP（网络内容服务商）证需要注册资金达到100万元，视频牌照需要1000万元，游戏牌照好像更高。

现在如果正规地做一个互联网社区的话，其实门槛已经很高了。因为凡是UGC（User Generated Content，用户生成内容）的网站都必须有BBS前置审批，而BBS前置审批则必须先有ICP证，申请ICP证则必须公司注册资金达到100万元。且现在全国只有北京接收BBS前置审批，其他城市，包括上海，都不给BBS前置审批了。所以想做UGC社区的创业者们，你唯一的选择就是拿出100万元，在北京注册公司，然后再花1万多元找中介去搞定ICP证和BBS前置审批。现在很多社区其实都达不到这个条件，都是灰色经营，随时有被拔线的可能。其实自从2009年网络扫黄以来，草根站长这个行业就绝迹江湖了。

■ 很多门槛以 100 万元计算

林莺同意范凯的观点，100万元确实是一个好数字，很多门槛是以100万元计算的，而且100万元也可以用一段时间，让你不用为不停增资而办理繁琐的登记手续。

但是得真的有钱……包括创始人个人借的、融资来的等。如果没有怎么办，建议有多少先出多少地做着，然后想办法筹钱，增到100万元、1000万元。

最好不要找财务公司垫资，否则财务公司垫完资，再把资金抽走，你就会被认定为抽逃出资，存在被行政处罚的风险，同时，也因不合规而为后续融资造成障碍。

当然，在资金不足以致无法办理ICP（网络内容服务商）等资质的时候，就得小心一点了，比如低调一些，和服务器托管商关系好一点，以便拔线前能得到警告，再赶紧想办法。

李剑波说他在注册的时候考虑了以下因素：

1. 当地园区支持政策对注册资金的要求，这个其实没有硬性要求，但是园区会有一个微妙的环境。

2. 政府政策优惠对注册资金的要求，其实这个有点虚。

3. 团队成员能够承担的资金能力。

4. 团队虚拟股本估值的便于计算性，比如100万元，就100万股。如果50万元，100万股的话，每股0.5元有点奇怪。

5. 注册资金与实到资金的比例要求。

6. 你所在的行业的门面考虑，主要是考虑信用方面。

话说上海华为的注册资金也只有两亿元人民币，而中投公司的注册资金是2000亿美元。

打一个不恰当的比喻，公司的注册资金就像你买一张电话卡开通服务时预存的话费，你预存的话费越多，优惠也就越多。注册资金在一定程度上影响着你后续增资和办理手续的繁琐程度。当然，注册资金的选择，还是要根据自己的实际情况。

亲历者说 \\\\\\\\\\\\\\\

李天放：课程格子用户超百万规模时团队只有 4 人，这是如何做到的？

李天放认为，在移动互联网时代，只要找到个好的切入点，快速迭代，再借助一点运气，一个小团队或甚至一个独立开发者做出百万甚至千万用户级别的产品已经不是什么罕见的事情了。

关于我们团队为什么那么小，主要有两个原因。

第一个是我们深信早期团员必须要找最优秀、最匹配的。不管我们多么需要帮助、多么着急，有多少事情做不过来，也绝对不会降低标准。

直到几个月前，团队里只有我和另外一位工程师写代码。他做安卓平台、web（网页）和聊天，我做后台、数据分析和iOS平台。当时跟我们做同类产品的团队都是二三十人以上的团队。假如我需要出去融个资或者谈个合作，团队就几周发不出新版本。就在这种情况下，我仍然会连续拒绝几十个不合格的面试者。团队也会质疑是不是我要求太高，或者建议能不能招几个应急的人先用，都被我拒绝了。这段时间内，投资人和创始伙伴多次被我弄得快要急死了，其实当时我自己也很着急。不过回头看我还认为自己的坚持是对的。团队的文化是自我复制的。最早进的几个人是什么样的，以后整个公司就会是什么样的，一旦锁定了之后是无法改变的。

第二个原因其实是我的一个严重失误。我在硅谷看到过很多神话般的故事，让我以为创业就应像人家图片分享网站Instagram那样，四五个工程师做个好产品，然后滚雪球一样飞速冲到大公司的怀抱中。这些故事让我觉得小团队才是最酷的。直到不久以前我才明白，Instagram的故事是仅仅属于硅谷。在中国，创业的环境很不一样。一路上有很多绊脚石、强盗，和想搭顺风车的人。四五个nerd（书呆子）走这条路是很危险的。这条路上也有大公司在前面等着你，只不过他们手里拿的往往不是一张支票。

其实对于那些顶级的创业团队来说，只用几个人做出个百万级别的产品绝不是难事。他们选择不这么做，是因为这不是个有意义的目标。只要能满足需求，用户不会在乎一个产品是 4 个人还是 40 个人做出来的。同样，投资人也不在乎你的增长是自然的还是一个月花几十万元刷出来的。顶级 VC（风险投资者）

会考虑到一个团队的效率和可扩展性，但那些只看看肤浅数据，听听故事就掏腰包给钱的投资人也不少。

如果在一年前我会很自豪地回答这个问题，宣扬一下我们的极小团队。但是现在我并不觉得这是一件好事，甚至后悔没更早醒悟。

我们在过去的几个月做了很多调整，如今我们的团队比起当时更完整，更强大。我们的榜样不再是那些Instagram类的团队，而是一支同时容纳nerd和fighter（战斗者）的多元化团队。

许朝军认为人才有三个基本点很重要，就是智商、情商和内驱力。

1. 智商：

创业会遇到很多困难的事情，这些困难可以称为瓶颈，需要在最短的时间内解决。如果解决不了，整个公司就会停滞发展，这是极其危险的事情。

2. 情商：

亲历者说

创业公司CEO们是如何识别人才的？怎样看待学历、能力和经验等条件？

创业公司CEO除了找方向，早期最重要的事情莫过于找人。互联网每个业务领域的分工非常细，找不到合适的、有行业资源的人就意味着浪费更大的时间、成本永远比别人高，失败了也不知道是为什么。

创业的前期犹如过山车，有时候发展很快，有时候发展很低迷。情商不高，就很容易变成逃兵。

创业是试错的过程。也许你做了10件事情，失败了9件，成功了1件。情商不高，很难去接受自己的失败。或者很难接受团队其他人的失败，或者很难接受创始人的失败，也很容易变成逃兵。

创业公司前期内部支撑系统基本不太完善，小到办公环境、报销，甚至短期会有一些不公平的事情发生。情商不高，不能用长远的思路来看待问题，很容易抱怨，或者吸收其他人的抱怨。最后很容易变成逃兵。

3. 对成功有强大的内驱力：

有很多人很容易找到一个好的工作，过上一个轻松富足的生活，很容易把自己放到一个舒适区。对成功有强大内驱力的人，会舍掉舒适的生活，艰苦奋斗，精益求精，志存高远，不断地提升自己和团队，更上一层楼。

马力[1]*认为关于人才，我们最重视的是人本身，然后才是技能和经验。*

前段时间我们的伙伴们抱怨我标准定得有些高，无论是面试设计师还是工程师，我们要面试很多人才能找到一个合适的新伙伴加入进来，甚至连我们的客户都着急，希望我们能尽快扩大队伍。我和大家说，技能和经验的标准是可以降低的，大不了我们来提供学习的机会，我们有自己的节奏，并不急功近利。

---

[1] Bri体验科技 CEO。

但是人本身的标准是不能降低的，这里的标准，是价值观，是进取心，是一股认真劲。

我们的团队有各种各样性格的人，有人外向善于表达，有人内向只会闷头做事，有人严肃有人活泼，有人敢想敢干，有人会三思后行，但是归根结底，都是一路人，就是要做一件事就会扎下去做好，要拼就会一起拼，每个人全力做好自己的事，并且不计较地、全心全意地支持他人。有一个伙伴，从实习开始加入团队，作为设计师，一路成长的速度非常快，要知道在最开始的时候，她几乎什么基础都没有，但是我们对她的成长一直很有信心，因为，大家都能看到很多次吃完饭（我们在公司吃饭），都是她主动在帮忙收拾。点滴之处，能够体现出一个人的初心来。

创业公司不需要打工者。只想做一个稳定、舒服的螺丝钉的人，不适合到创业公司。所以创业公司的人才都是那种"哭着喊着要上进"式的，有自我成长的意识，看起来大家每天都在做同样的事，但是有人就能够几个月有个大变化，或者能够坚韧地迈过一些坎。创业公司的优点就在于能让愿意成长的人成长得很快，有足够的空间，关羽、张飞，都是打出来的。

这要求看起来很简单，但是想要达到其实挺难的。我看到的更多的人，是有热情，有目标，但是缺少行动，缺少毅力，或者，已经被很多不好的环境磨平了棱角。对一个人的成长非常重要的，是选择和什么样的人一起成长，很多人就是刚毕业时选错了成长的环境。

我觉得对于创业公司，真正的核心价值，是团队。同样的方向，有些团队做成了，有些团队失败了。其实创业公司很难要求每个人都有创业的认识，很难说大家加入就是为了一起创业，更多的时候是大家还是相互看人，好的人才加入创业公司，往往是因为对团队本身的信赖和认可。所以 CEO 工作的重点，也在于挖掘好的人才，为大家创造更好的发挥空间。

创业公司是个太大的概念，这里只针对有理想且能脚踏实地的创业公司。每一个团队、企业都有自己的价值观、自己的使命、自己的目标、自己的追求。想做什么样的事业，就找什么样的人。一个企业要想留住人，不是靠降低标准，而是靠给有能力的人空间、梦想，以及一步一步、实实在在的成果。你以雇人的心态就是找员工，你以 Welcome on board （欢迎加入）的心态，就是找伙伴。是的，找这样的伙伴很难，所以真正做好一个创业公司就是很难。

在此之后，才是去考察学历、能力、经验等，反而就比较常规了，各种岗位都有一套考察方法。一个公司里的人才是有体系和梯队的，有时需要寻找有很好经验的人，有时只要有潜力就可以。

知乎
发现更大的世界

第四部分

加速期（1万~100万用户）

"唯有用户与爱，不可辜负"

第9章

产品的迭代

当产品基本成型，如何把产品做得更好？

有了一定的用户群体，用户反馈也还不错，路摸清了，第二阶段就要专注地重点投入，做到极致。当产品基本成型，有大量用户涌入，产品的大方向已经不可能变了。这个阶段该如何把产品做得更好，把冷启动的成功延续下去？

■ 信仰决定取舍

汪华认为这个阶段最重要的是这三个关键词。

之所以说信仰和愿景，是因为这是所有的根本，无论是战略设定，还是产品取舍。我发现很多团队到了这个阶段会出现一个问题，用户多了，团队强了，似乎开始忘记了自己是什么，自己不是什么。开发出来的产品功能线开始逐渐变长，拉出了非常多的新功能，但是这些所谓的改进功能、新功能，反而让我看不到这个产品本来的用户和功能主线是什么。大家有时候会说，因为收到了用户反馈，有几个用户说想在里面交友聊天，所以就要把这个产品加个聊天室，也有用户反馈想做一些其他的什么事情，于是就给产品加上个其他的什么功能。还有美国又出了一个新东西，我们要学一学。还有很多人跟我说最头疼的是砍功能，问我如何取舍。

但是如果你的愿景和信仰明确的话，这个其实是最容易的，无论是轻易地把产品转方向，还是增加大量的产品新功能，很大的一个原因都是因为创业者没有信仰，不知道自己是什么，不知道自己不是什么，而这点是很必需的。

做产品有"道"和"术"两个方面，愿景和信仰是道，方法论是术。无论是用户反馈、市场调查，还是运营数据，所有的这些东西，可以是一个真命题，因为你要依据这个改进或者做你的产品；但是从另外一个方向讲，它是一个伪命题，比如说天下有七八十亿的人口，十几亿的互联网用户，随便做什么样的产品，后面其实都可能有几千万上亿的用户想用你的产品，无论是什么feature（功能）都能找到数据支持。所以说，最后决定你取什么舍什么的，其实还是这个团队自身的信仰，自己团队的愿景，而不是用户调查。一定要先有愿景，之后才有用户调查。也就是你先要知道自己的产品应该是什么样子，或者说是想要变成什么样子，然后根据自己产品的特点去做用户调查。因为，首先，你的创新团队没有足够的能力去做一个面面俱到的巨无霸，其次，很多用户需求根本就是互相冲突的。比如在图片领域，图片美化软件Photoshop，图片分享网站Flickr，美图秀秀都是成功的软件，但你不可能把它们混起来。

■ 产品逻辑和传统管理逻辑不同

如果你的愿景是做一款手机图像分享软件，可以让你拍照之后放上去分享给朋友，Instagram是一款很棒的软件，它非常简洁，登录快速，能在几秒钟之内选好效果做完分享。它的核心理念是第一时间让用户在几十秒钟之内完成一个很流畅的漂亮照片的分享过程。这种快速分享就是它的愿景。它知道自己不是光影魔术手，不是Photoshop，我打赌在它的用户回馈里面肯定有诸如"你们的软件支持的特效太少了！我想给我的照片加上更华丽的效果"这样的内容，但是它依然只保持了十几种特效，因为如果真的加了500个特效、Photoshop级别的编辑，想要快速分享自己照片的用户第一遍登录进去就开始玩特效，玩了15分钟之后觉得太麻烦了，就会关掉Instagram，甚至忘了分享。反过来也一样，Photoshop是给真正编辑照片的人用的，如果里面有像美图一样有一大堆卡哇伊的、炫丽的头像或者是乱七八糟的东西，用户也会马上关掉。

甚至还有团队只是因为团队加了人，暂时有人工作量不满，或者一个功能开发很简单，成本不高而加一个功能，这更是没有愿景的体现。想一想，对于用户的注意力而言，界面空间的每一个像素，尤其是手机，流畅的使用流非常宝贵，为了一个有的没的功能去增加所有用户的负担，代价是相当高的。即使纯从开发上来说，如果一个功能开发只用了一个人／日的成本，以后维护升级可能就是 10 个人，运营推广 100 个人，任何功能的全程代价都是很高的。

当知道自己是什么，知道自己不是什么之后，所有的一切取舍实际上就非常简单和直接了。

■ 有爱才能把产品做到极致

对自己的产品有没有爱体现在好多方面，你要热爱自己的愿景，热爱自己的用户，自己的产品像自己的孩子一样，不能容忍缺陷。有的创业团队很客观，像一个科学家一样从外部去做产品，比如说因为数据是这样，那个是这样，所以我要做这个产品；因为竞争对手出了什么，我觉得我们为了应对，所以要做这个功能等。但是这样是做不出一个好产品的，一个特别好的产品，产品的团队跟这个产品本身是二合一的，和他的用户也是二合一的。举个例子，如果诺基亚的人去做 iPhone，做出来的还是诺基亚，不可能是 iPhone。所以你必须把自己化身成自己的用户，你对自己的产品有深切的爱，所有的数据和用户调查都只是一个外面的东西，只能让你知道这件事是这样的，但为什么？用户，是这么做的，但用户这么做的心理原动力是什么？你必须首先把自己化成这个用户，你才能知道为什么有这个数据的呈现，用户的追问是什么，为什么要这样做，甚至领先一步发现用户还没意识到的需求。做航班管家的同学经常去机场，甚至总结出了和陌生人搭讪和往陌生人手机上装软件的几大诀窍。马化腾作为腾讯CEO，还天天不停地在各种场合用自己的产品。

有些团队的确发布版本很快，可是其中有一些产品随便一用就有bug，或者是交互缺陷，这是很不可思议的事情。只要做这个产品的团队自己用三分钟使用这个版本，就可以发现这个bug，根本不应该把这个产品发布出去。我不知道这些团队是不是拿自己的产品开玩笑，拿自己的口碑开玩笑。产品的第一批用户很多都是业内人士，他们不仅仅是用户，而且也可能是你将来的合作伙伴，是将来口碑的传播者，是会写文章批评或者推荐你产品的人，所以这里面每一个bug造成的后果都是非常严重的。如果已经过了这个阶段，要相对做精品，用户应该是来测试产品方向和功能的，而不是帮你debug（解决缺陷）的。发布有bug的产品是对产品和自己的用户没有爱的体现。

■ 无法容忍核心功能的瑕疵

当年，个人开发者，如Flashget(快车)、Foxmail(火狐浏览器）等的开发者，他们之前也不是产品经理，他们是如何一个人做出好的产品的？如果你还记得，这些软件有时候一天能出好几个版本。问起来的时候，他们说如果接到反馈有bug，会睡不着觉，一定要改了才能安心。这就是对自己产品的爱。

做产品要有爱，有不能容忍的心态，不能容忍用户体验不好，不能容忍我的产品有bug，要跟 0.01 秒的较真，跟 0.1K 来较真，把自己化身用户，做到极致。这些都是非常重要的。当你对自己的产品有热爱的时候，知道自己是什么的时候，这些都自然而然地会发生。而现在大家有个特点，大家做的产品做到一定程度的时候就做疲了，之后就会单纯把自己的产品当工作去做，而不是当作自己的孩子来看待。这些问题甚至你自己都没有意识到。如果我在做手机网页的话，我会在任何情况下都掏出手机来反复查看这个网页，在家里、出租车上、电梯里用，所有不好的用户体验，我都会立即解决掉。这是我做产品的原则。

要把自己化身成愿景，把这个愿景做到极致。不过这里有一个小提醒，大家还是不能矫枉过正。在中国有一些很糟糕的现象。第一，很容易把将产品做到极致跟磨洋工或者半年出一个版本这些事等同起来；第二，完美主义很容易形成孤芳自赏的那种状态。大家必须明白，快速发布产品是公司的生命力和活力所在，这跟把产品做好并没有冲突，把产品做到极致不是像VISTA操作系统一样，一年才憋出一个版本，这个是很糟糕的一件事情。你不能做得很慢，小步快跑、快速迭代才是把产品做到极致的正确方法。但是快速发布绝不等于快速的出 bug，再说一遍，用户应该是来测试产品方向和功能的，而不是帮你 debug 的。

有"完美主义"控也无法做到极致

另外，不理智的完美主义是很危险的事情，完美主义是有取舍的，不可能各方面做得完美，完美主义不是平均主义。比如说你可能要为了效率牺牲掉漂亮，你有可能为了漂亮牺牲掉效率，这都是没有问题的，没有对和错。出发点是你搞清楚你是什么，在此之后就可以做取舍。当你试图做到各方面平衡的完美，或者从自我满足的角度做到完美，而不是从用户角度出发时，很容易陷入一种僵局。产品出不来，拼命地磨，最后出来的是折中主义的东西，各方面都追求完美或者自我满足，反而导致了各方面都不能做得很好，完全不能做出好产品。

产品与人总是一起成长的。这里不仅仅包括你的成长，也包括你的用户的成长。对于创业者来说，该是"唯有用户与爱，不可辜负"，要做更好的产品，除了保持初心，让产品不断完善之外，还要带着用户不断变得更好。

it is *DANGEROUS* IRRATIONAL *to completest*

不理智的完美主义是很危险的事

新产品推出后增长不错，竞争对手开始出现，如何保障团队的持续成长？

很多草根团队，产品做得很大了，还是那几杆枪，尤其核心成员就创始人那一两个，和其他的人能力差距非常大，这样的团队会很快被赶超。要知道发展期比拼的就是团队。

■ 核心人员招募和能力发展最重要

汪华见过很多早期团队，往往过于注重做事和产品，忘了发展团队，尤其是发展和创始人能力互补的核心人员。

创始人要有胸怀。在发展期要把一半以上的时间花在核心人员招募和团队能力发展上，这是第一优先级，不要一发生什么其他状况，就把这个排到后面去了。这个阶段，要开始学习找到合适的人，并把他们放到合适的事上，而不是自己都扑上去。

在早期 10 个人以下时，人贵精不贵多，雇人反而要挑剔，宁可 2 个人干 3 个人的活，不要 3 个人干 3 个人的活，这不是为了省钱。

早期开发，做一个东西的人越少，效率越高，沟通成本低，更容易统一思想。早期的每个人员，每一个都是希望以后能成长为团队领导骨干的人员，雇 2

个人而不是雇 3 个人，你就可以给更高的工资、股份，雇更好的人。

同时，做更多的工作，可以让每个人成长得更快，人员更精简，创始人可以对每个人有更多培养。创业公司都要有一股气，朝九晚五，往往会不利于公司精神文化形成，不利于那种激情气势。

产品上线后，应该如何做数据分析？

互联网产品和传统产品不同的是，互联网产品能够产生大量的数据。通过分析工具和方法进行数据的分析能够非常清晰直接地了解用户习惯，优化产品。

姚旭[1]认为数据分析是一种靠谱的产品研究方法，这东西有很多误区，也不能迷信，最终到头来还是要人来做决策。

■ 别忽略沉默的用户

"二战"时英国空军为了降低飞机的损失，决定给飞机的机身进行装甲加固。由于当时条件所限，只能用装甲加固飞机上的少数部位。他们对执行完轰炸任务返航的飞机进行了仔细地观察、分析、统计，发现大多数的弹孔，都集中在飞机的机翼上；只有少数弹孔位于驾驶舱。从数据上说，似乎加固机翼的

---

[1] 现 Facebook 工程师，前百度搜索引擎 rank 工程师，知乎团队早期算法工程师。

性价比最高。但实际情况却恰恰相反，驾驶舱才是最应加固的地方，因为驾驶舱被击中的飞机几乎都没飞回来。

"发声"的数据是最好获取的，但如果没把这些沉默的数据考虑进来，那么这种数据分析是不靠谱的。所以除了数据的结果，还得尝试解读这些数据。而解读数据就完全依赖人了。

■ 更重要的是有用户在乎

A和B两家网站，都经营类似的业务，都有稳定的用户群。它们都进行了类似的网站界面改版。改版之后，网站A没有得到用户的赞扬，反而遭到很多用户的臭骂；而网站B既没有用户夸它，也没有用户骂它。如果从数据来看，应该是网站B的改版相对更成功， 因为没有用户表达不满。但事实并非如此。网站A虽然遭到很多用户痛骂，但说明还有很多用户在乎它；对于网站B，用户对它已经不关心它了。

网站A指的是Facebook，网站B是微软旗下的Live Space。

■ 数据不是决策的唯一标准

通常认为，数据分析指导工作是一种高性价比的做法，不容易犯错，对于代表资方的管理层来说，比起依赖于人的决策，依赖于数据的决策似乎更稳健。

这种决策在从 0.5 向 0.8 的产品改进上，可能是有效的。因为一个已有的产品，数据就摆在那，如果 100 个用户中有 50 个访问超时，解决了这个问题，就提升了 50% 的效果。

但对于从 0 到 0.1 的新产品上，由于数据很难获取，需要花大力气在获取模拟数据上。往往是用一周时间去想明白一个做两个小时的产品该不该做的问题。而且模拟的结果还和最终实际相差很远。

建议先做出来 A/B test 或是原型系统，再去验证，在一些场合下比先拿数据要有效的多。

■ 数据带有主观性

为了减少内耗，我们往往依赖于数据来做决断。我一直认为数据本身是带有主观性的，完全客观的数据是没有的。数据的获取方法，数据的解读方法，数据的统计方法，都是人的决策。一份数据得出两个相反的结论来也不是没有可能，因为即使主观上没有偏向性，也受限于方法和视野。

决策上最终起作用的还是人，不是数据，虽然人有那么多的不确定性，还可能出现争论、扯皮，不敢承担责任。

■ 但重视数据应该成为一种信仰

且歌且行 [1] *对于数据的观点是：数据是一种信仰。*

毁掉分析数据态度有三个常见原因。

第一，大环境不尊重数据，尤其是老板的态度。如果数据分析师只要随便给一个报告就行，数字多一点或少一点，大家也是一笑而过，并不会追根到底，那么很难让数据分析师以严谨的态度对待数据。

例如，国内这几家数据分析机构，基本都在着急扩张自己，争着占领行业，对于其推出的数据有多精准却不那么在意，所以艾瑞的数据最近才会经常被人说"不靠谱"。

数据分析，今天做得不准，明天再改是没有用的。比如艾瑞，如果数据不稳固却抢着做很多行业，这是不靠谱的做法，指不定哪天就砸了自己的牌子。

有人提过Facebook的数据分析师为什么那么能耐，因为他们不觉得数据分析是一个苦事，十几个人在一个房子里把数据分析当做一件很开心的事情来做，分析数据对于他们来说是在追求科学。

第二，好的数据分析师需要一点天分，同时也需要高人点拨，但是电子商务这个圈子，真正懂数据分析的人不会超过 10 个，所以一般人很难取得真经。

---

[1] 知友。

这和信仰一样，没有师傅领进门，难度也会大很多。

我回顾了自己从微软到易趣，再从敦煌到支付宝，在数据分析上有一次长足的进步，得益于从两位老师的身上得到了许多启发。

一位是亚马逊的首席科学家韦思康。曾经我告诉韦思康，KPI报告显示敦煌网需要4秒钟，他立马让我叫来做技术的同事（他要听到一线同学的反映），问这个4秒钟怎么测算出来，是美国人打开用4秒钟，还是英国人打开用4秒钟，用的是什么Browser（浏览器）等。这个4秒钟和商业价值（例如交易量）有关系吗？

这让当时的我很触动，连这么一个很基础的数据，韦思康老师都是以求证的心态来分析的。更令我印象深刻的是，只请他当半天敦煌网顾问，按照他的工作经历来说，随便忽悠半天是很容易的事情，但是韦思康老师非常严谨，先是以一个普通人的身份花了半个小时在敦煌网买东西（坚决要真实付钱），切身体会敦煌网的用户体验。然后也不先看数据，而是先问很多能更了解敦煌网的生意形态的问题。他的问题比很多投资分析师来得专业。而现在许多数据分析师，包括当时的我自己，只看数据就开口说问题，不深入去体会公司的商业形态。

韦思康老师告诉过我数据是一种态度，让我明白做数据的人就是要全身心投入，好像一种信仰一样，中间有许多路要走；而且，数据与商业密切相关，不能局限在数据的死角里。

另一位是清华大学的教授谢劲红，有一个夏天我碰巧去旁听他的课，拿一堆的数据给他看，他一边看一边给我演绎他的思维，他可以很快在一堆数据中找到它们之间的关系。后来我常常带着团队去清华找他聊，他教我如何看网络数据，用联动的思维来看网络数据。可以说是他启蒙了我用"关系"的思维看数据。一听完就回到敦煌看很多数据，发现了新世界。

第三，数据分析师感叹落不了地，只能谈数据，而不懂商业。如果不懂商业，而单纯看数据，不仅很难有创意的思维，而且是没有意义的。

而对于一般的数据分析师来说，大部分人没有系统思维，而且也只能看一部分数据，无法从大面儿上了解整个公司的运营数据，这样就令数据分析师难以形成全面的思考方式。

为什么我在敦煌的时候数据分析能力会突飞猛进？那也是因为我在前两家公司只能看到一部分数据，而到了敦煌之后我爱看什么就看什么，受谢教授启发之后我更是天马行空地把营销数据、市场数据、财务数据、产品数据、卖家和买家数据等联动起来看，这大大改变了我对数据的运用方式。

■ 打破常识和经验分析数据

丁士正 ❶ 有一段时间在一家为客户在Facebook上做广告的加拿大公司工作。

---

❶ 知友。

这是一家小型Startup（创业）公司，总共不到20个人。其中4个人（包括他自己）是技术人员，剩下的除了CEO都是Account Manager（客户经理）。当然CEO很多时候也在做Account Manager的事情。

刚到这个公司的时候，我觉得他们的code很烂，他们的数据库设计也很烂。后来才知道，当初startup的时候，是找了印度公司做外包的，他们对这个外包很不满意，所以一期项目搞定之后，就全部拿过来自己做了。但是后遗症也留下了。

这个公司的数据模型很清楚，只要通过低于广告主给出的CPA (Cost Per Action，每行动成本，一种按效果支付成本的收费形式)价格能赚到钱，就想办法增加广告覆盖率。但是有个常识大家都明白，增加覆盖率很可能导致转化率下降。但是如果接受这个假设，那么就没有什么赚钱的机会了。恰恰是因为他们相信，除了常识之外，还有一些事情是经验之外的。

比如说关键词。有些关键词对某些人有用，对另外一些人没用。如果不做数据挖掘，生想广告词或者关键词的组合，把自己累死也赚不到什么钱。

所以，这个公司在代码中设计了几个基本核心算法：

1. 一种止损的trigger（触发器），自动停止任何亏钱的广告。

2. 一个自动发布广告的Cron（定时任务）。程序一直在扫描，一旦发现一些广告能赚钱，就自由组合这些广告元素再自动发布到广告系统里面。这样，就能出乎意料地发现一些更加赚钱的广告形式。

3. 做了很多广告更新的算法，搞了一个自动化的A/B测试策略来针对Facebook广告价格的浮动，来更新广告的价格。

通过阅读这些算法我感受很深。所谓的数据分析，不是一个产品经理跑到运维、数据库管理员或者工程师那里说：我现在要跟踪什么什么数据，你帮我出一下吧，然后再对着跑出来的数据琢磨这些数据是否合理。在这个公司里，只要发现一个数据模式对收入有影响，就会直接编码到系统里，变成自动执行的代码。基于这样的数据导向原则，代码面临无穷多次的重构，因为谁也不知道，下一个数据模式会发生在哪个层面，哪几个数据之间会发生关系。

我认为国内的不少公司，还在根据daily report（日报单）分析数据，还在说数据只是为了验证产品经理想法的阶段。这动作是不是太慢了？

对于大多数网站，如果你想用数据为导向，必须建立系统级的A/B测试机制。对于界面层面的重构，一个产品经理加一个工程师，用这个系统一天至少能做3~4个。系统级别的A/B测试要能够保证快速上线，第一时间看到数据，一旦超过临界值要直接结束测试、保留数据并生成报告（直接邮件发送，而不是让产品经理想起来跑到后台再查）。

对于做社交网站，或者有复杂用户数据模型的公司，要在界面呈现和用户数据之间建立匹配系统。这样，产品经理可以设计几种呈现模式，丢到匹配系统中，过不了多久，就能发现用户对不同呈现模式的数据反应的不同，然后系统性地固化这种机制。

通过cookie或者用户登录信息，建立针对不同用户的内部tag系统，看这些tag在系统里有没有明显差异。如果有就可以固化下来，用来提高关键指标。

所以，我现在对于数据分析的感觉是：要提高一个数据指标，盯着它是没有用的。必须找到影响这个数据的另几个可操作性更强的数据指标，调整它们。分析数据的可能性要充分，充分分析的基础是测试充分多的可能性。如果你想测试图标的颜色从绿色变成红色会不会更好，那为什么不测试一下蓝色、紫色和黄色呢？如果小规模数据已经可以说明问题，就没有必要延长测试时间，也没有必要扩大测试范围。要充分利用计算机来帮你做数据采集和分析，缩短数据分析的周期，降低数据分析的成本。有必要的时候，可以让计算机帮你找Pattern（模式），因为计算机没有偏见。

"数据"和"用户反馈"就像产品发展过程中的左右两个大脑，一个是"理性"的，一个更偏"感性"。数据能够更加真实地反映出用户使用产品的行为特征，然后根据这个特征来做产品调整。但是尽信数据不如无数据。当你手握数据的时候，你应该考虑的是如何分析，如何运用好这些数据，理性和感性结合，才能做出好的判断。

■ 互联网产品什么时候可以做大规模的推广？产品从中期到成熟期的推广有哪些注意点？

可以根据早期阶段的用户反馈，用户活跃度和留存度进行判断。不同的应用可以参考不同指标，不同产品对应着不同策略。比如一个社区类的应用，如果用户的写文章率不到1%，用户注册后三天后就流失了，那么任何大规模的推广都没有意义。中期阶段的推广是让用户达到一定程度的click to mass（点击质量），比如社区网站，经过早期阶段的功能性验证，中期阶段就要形成核心的社区氛围和比较稳定的架构。中期阶段不仅要完善产品本身，更多是为了运营与细节的改进。

只有当产品形成，运营完善，资金充足，后台架构建立，团队对用户有足够经验之后，才可以进行第三阶段，也就是非常大规模的推广。可以使用社交机制，或者利用资金进行推广。产品推广的早期、中期和成熟期这三个阶段的划分不是非常明确，但还是要有层次地推进。比如一个客户端的应用，每天几百次的下载属于早期阶段，每天几千次的下载属于中期阶段，达到中期阶段就证明早期阶段问题已经解决，并且用户确实有这个需求，此时如果把团队的基础打扎实，就可以很快达到第三阶段——产品成熟期。

■ 产品发展过程中，什么时候需要开始花钱获得用户？

大部分做流量的方法其实不用花钱。靠自己产品的性能和运营获得用户，本来是获取用户的正当方法，但是为什么要花钱做用户？答案可能有两个：一、加速增长；二、需要种子用户。

这两个都是很有道理的答案。实际操作过程中有两种情况，一是当你获取的用户能够挣钱，回报多于付出的话，你确实可以无限制地花钱获得用户，这是毋庸置疑的。很多网游都是这样。

但是如果你赔钱获取用户，你的目标应该是达到自增长的一个点。按照互联网的习惯，当一个品牌或用户群达到一定密度之后，接下来就能实现一定的自增长。如果不是特别乱，而且真实的用户、活跃的用户达到百万级别，或者口碑达到一定的级别，加上真实的美誉度，真实的搜索指数能过万，产品本身又好，就能获得自增长。而去做用户增长，目的就是尽快达到这个自增长点。

如果是这样，其实目的就很明确。你要搞清楚那个点是什么，达到那个点需要的真实指标是什么，如果你做的所有推广是有助于达到那个点的，就是有效的；如果无助于你达到那个点，比如当年某财经门户找了一些裸女图片放在网络上吸引点击，虽然指标是达到了，但实际上对你积累真实指标达到那个点没有任何帮助，这就属于完全白费。

■ 在产品发展中期有哪些做付费推广的方式？

当产品发展到中期需要做流量和渠道时，有这样几种方式：一是合作，二是交换，三是花钱购买。合作比交换程度更深。选择什么样的方式取决于产品自身的特点。如果产品短期可以赚钱，比如网游、电商，或者是达到一定流量就可以赚钱，可以用花钱的方式进行推广。反之，则需要渠道和做交换。互联网上可以做到流量的渠道有以下几种：

网址站。网址站的效果在产品早期尤其明显。要投放在主要的网址站，比如hao123.com。当主要的网址站收录了之后，一些中小的网址站会进行免费的收录。但长期投放网址站对创业公司并不适合。在网址站上投放也不一定要上主页面，可以先被收录，然后争取进二级页面，再视效果而定看是否要上主页面。

网盟。如果是严肃的网站，网盟的效果不佳。网盟虽然能带来流量，但转化率、有效率很低。但是网游可以尝试网盟。

在合作网站上推广。

软件捆绑、嵌入。最快获得用户的方法就是跟相关的大下载量的软件做捆绑下载或推荐下载。但要注意价格是否合理，是否有作弊以及激活率的状况。

在专业的网站上买广告。

以上的方法都是需要花钱的，在实施之前必须做好跟踪测算体系。比如一个软件要花钱做推广，就要有能力跟踪渠道号，知道不同渠道的ID，每个渠道的下载量，每个渠道的用户反馈，每个渠道在几天之后还有多少用户在使用，作弊率和活跃度的情况等。要有清晰的matrix（矩阵），知道自己要什么。

比如一个招聘网站，真正应该关心的是新渠道中每天新增的简历数量。再如财经网站，如果用流量做考核指标，就会出现用自拍频道的美女图在做推广的现象。在选择渠道的时候，一要依据产品的上下游、用户使用的圈子和用户行为来判断，不要按照名气和流量。二要在获取一个渠道之后，先免费投放或小规模花钱投放，在一段时间后，考察了投放效果再逐步加大投放规模。

■ 互联网产品推广过程中，如何以相对低的价格获得最有效的流量？

首先，在任何一个特定的方法和特定的渠道内，你能获取的总流量是有限的，而且你想获取的越多，它的单价越贵，成本越高。

无论是门户网站、搜索引擎还是其他，符合你目标的总用户就是这么多。以搜索引擎为例，里面有最适合你的和最便宜的关键字，比如，你投资一个关键字，搜索流量一天就五千个，这些获取过来是最便宜的。但是如果你想一天获取一万个流量，那第二个五千流量就得去找跟你重合度相对低的关键字，但是跟你的用户匹配比例更低，可能拍卖价格更高，效果更差。总之，如果你想再获得五千个流量的话，就更糟糕。

这就导致两个现象：一、你对于获取流量必须要有非常清晰的认识；二、你获取流量的渠道必须是多元化的。

其次，所有的流量有通用的和专用的区别。你从各种各样的用户入口获得所需要的流量，可以是免费的，可以是收费的，但是都要付出代价。这些资源交换的代价里，凡是只有你才能用、而别人用起来不方便或者对别人没有用的流量，反而是越便宜的流量。凡是对所有人都有用、人人拿出来都可以给自己引导用户的，则是非常贵的流量。

举一个例子，谁放到hao123首页，对它都有用，这样的位置就很贵。但是早年的小说网站非常不值钱，五千元就可以把千万级别流量的小说网站的关键位置包月。因为在那个年代，那个流量无论放什么广告，做什么推广都没有用。但是那个流量后来在推广页游时却非常有用。

最后，任何流量的做法都不是长期有效的，都有时间不长的窗口期、衰退期，而最早发现某个流量的最好挖掘方法的人，受益最多。这种方法很快就会达到一个很高的价格，然后逐渐到衰退期。

比如早年我在谷歌的时候，2006年获取网吧流量是非常便宜的。一是没有人获取，二是没有人知道怎么从网吧把流量给装回来。很多人不但不知道价格，也不知道方法。包括2003年的时候，最早一波知道怎么做搜索引擎优化的站长中用得最好的人占很大的优势。

但是，用户的入口在不断变化，用户入口本身的规则和方法也在不断变化。所以做流量、做用户不是一劳永逸的，必须是一个机动化、持久化、长期的运作。

每个月都会有一些方法从非常划算的方法变成一般的方法，甚至有些会被取代，然后一些新的渠道和方法会萌芽。比如腾讯开放微信接口了，苹果发布iOS6了，出现任何变化都要想一想和我有什么关系。

■ 互联网创业公司在产品发展早期做免费的推广有哪些注意点？

免费的推广实质上也是需要花钱的，或者也有巨大的代价。比如和硬件产商合作，硬件厂商要求必须做一个专门版，这就对创业公司人员精力要求很大。早期公司创始人的时间非常宝贵。有时免费的东西是最贵的，要慎之又慎，明确自己真正的成本。

因为免费，对方也不会真正重视。所以就算免费，也要把对方拖下水，要让对方也投入资源。免费的最大好处就是共赢。在寻找免费的合作的时候，可以考虑产品的上下游，考虑能给对方带来什么好处，给对方的好处甚至要大于给自己带来的好处。给对方的好处有很多维度。一是给公司的好处，二是给公司特定部门的好处，三是给具体执行者带来的工作相关的好处，四是给相关人员带来非工作相关的好处。

创业者如果和一个大公司谈合作要更慎重。要掌握基本的商务礼仪，要有people skill（人际交流技巧），表现出尊重，学会倾听，要围绕给对方的利益，而不是围绕着自己的产品。和大公司合作之前要清楚公司从上到下、不同部门的战略和关键人物，公司的架构和内部关系。要从公司和决策者的利益来考虑合作点，先交朋友再谈生意。无论是否有求于别人都要积极主动地进行关系维护。

■ 在互联网创业公司中，做一个优秀的BD需要具备哪些能力？

最好的BD（Business Development，业务拓展人员），一要有更长期的隐忍，要关注长期的效果。BD和sales（销售）不同，作为一个销售，只要想办法把产品卖出去，任务就完成了。但BD仅仅和别人签了合同是不够的，要想有真正的效果必须关注接下来的实施。比如和新浪签了合作，可能两年后没有带来流量和用户，仅仅有了一个好名声而已。

二要有非常强的管理后期推进、综合资源的能力。BD要有好的协调和组织能力，在合作方案签下来之后，要让双方都获益，保证双方的合作可以有良好的跟进，不断找到对双方有利的新的契合点，让对方成为自己重要的合作伙伴。BD还要有很大的内部协调能力，BD的工作和内部的产品有很多牵涉，所以足够的内部推动能力也是必须的。

三还要懂产品。懂产品尤其关键，BD要参与产品会，好的BD要知道在公司目前的战略和定位下，选谁做公司的合作伙伴。如果不了解产品，仅仅找流量最大的网站做推广，效果反而不好。

四还要了解用户群，了解他们的生活方式。无论是产品典型用户的生活圈，还是用户使用产品之前之后的行为。比如，我之前做谷歌搜索的推广，就考察了用户的上网习惯，根据用户在哪些时刻和地点需要搜索，使用的网站、软件、上网渠道、使用习惯等来选择合作对象。如果发现学生在网吧上网，而且有足够的搜索量，就可以考虑和网吧合作。如果发现用户在搜索之前常会使用另外一个软件，就找这个软件进行推广。挑选推广伙伴时，不要找最贵的，而要选择最合适的。比如hao123流量很大，但不一定适合你的产品。还有一个有意思的现象是，你最需要的用户不一定是别人需要的，如果可以找准你需要的流量，往往可以以很低的代价获得这个资源。而且和你需要同样流量的人不一定都是竞争对手，而有可能是同一用户行为的上下游，可以进行合作，而用户的体验也会得到提升。比如一个发照片的系统希望共享到微博上来获得了更多的用户，而微博也因此丰富了内容，实现共赢。

CEO和创始团队本身就是最大的BD。如果是工程师创业，不管BD，只做产品，是不可取的。最懂产品的人就是产品开发者本身。优秀的BD并不多，当公司最开始雇不起好的BD时，可以雇用几个中等水平的BD，创始团队同时兼任BD的一些职责，直到找到一个合适的BD人员。

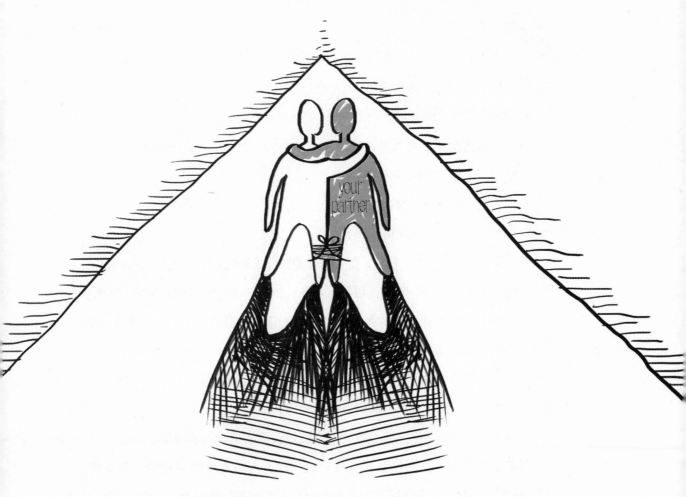

创业搭档之间的关系就像两人三足，你和创业搭档的能力
和关系决定着你们能走多远。

林莺认为无论是早期创业公司还是成熟公司，需要合作的外部机构（不算员工、顾问等内部）无外乎下面几种：

1.供应商：原材料、服务提供商；

2.客户：公司产品或服务的接收方；

3.融资：包括投资方、股东，提供借款的银行或其他机构、个人，担保机构；

4.物业：办公场所的购买、租赁、物业、消防、清洁等等相关事项和服务；

5.中介机构：会计师、律师、税务师、知识产权代理所、猎头、其他代理（工商登记、证照办理等）；

6.其他合作方：具体得看公司的业务性质，IT企业可能会有一些合作开发、联运、合作推广、授权推广、共同举办活动等。

拆细来看，我看不出来哪些事情不需要协议或法律合同来约定。

可能有的朋友说，比如我找个代理机构，办点不着急的事项的工商变更，就花 1000 元，还要签个合同，是不是太麻烦了？如果这样权衡，好吧，可以不签合同，顶多对方办不好，我们也就赔了时间和 1000 元。

可以看出，在上面的例子中，有协议约束，也还是有利于公司监督对方服务效果，并以服务效果为依据来支付服务费的，之所以放弃，只不过是因为风险过小。

以这个标准判定，个别事项的确可以不签署协议，例如非常非常少量且不重要材料的供货，或者不涉及知识产权归属且对公司没什么影响的服务。进行这样的判别需要非常小心，不能仅以金额论，以避免因有些小合作给公司带来大风险。

但我想，即使如此，保密协议还是最好签一个，以避免出现一些无法预期的信息泄露风险。

王小川[1]：如果不是这种情况，那么我会比较保守，尽可能地用老技术解决问题。因为新技术意味着：一、要么这个技术本身不成熟，使用起来有风险；二、要么你的员工对它不够了解，在对这项技术的掌握上有

---

[1]　搜狗 CEO。成都七中高 96 级学生，曾获第十一届国际信息学奥林匹克竞赛金牌。清华大学计算机系工学硕士，在校期间曾担任水木清华 BBS 求职版版务，兼职加入初创的 ChinaRen 公司，搜狐收购 ChinaRen 公司后进入搜狐公司，现任搜狗 CEO 兼任搜狐 CTO。

亲历者说 \\\\\\\\\\\\

王小川谈快速发展期，团队对于新技术选择的态度应该是怎样的？

王小川认为，如果这个新技术是产品的核心，即这个产品要想成功，那就一定要在新技术上有所突破，如果旧的技术无法解决问题或者风险太高，那么这种情况下我建议使用新的技术。

缺陷。这会增加项目的风险。本身创业就已经有各种风险，譬如公司目标、产品方向、融资、团队等，没必要在技术的选择上再冒险。更何况，很多时候技术并不是根本，产品是否真的满足了用户的需求才更关键。更多去关注用户体验，不要把精力放在挖坑上。

采用新的技术也并不代表创业成功可能性更高。我们不能脱离产品来孤立地谈技术。

首先我们要看这个先进的技术，是否能够转化为产品的用户体验。用户看的不是技术，甚至不是产品，而是他的感受，即用户体验。用先进的技术来提升产品的品质，并最终让用户能感觉到，才是最核心的，即你得让用户体会到该技术是产品的核心卖点。如果可以做到这一点，技术又比其他公司更先进，创业成功的可能性就能够提高。

而我们看到的却往往是，创业者沉迷于自己的逻辑，认为自己技术很好，就沉溺在技术的改进里，琢磨着让bug更少，让软件更新更快，但是最终并未转化成用户的体验，这比较危险，会误导创业者的思路，反而降低成功的可能性。

譬如如果我们做一个视频播放的软件，其实你是否用P2P（Peer to peer，对等连接）技术省了带宽，用户是感受不到的，用户能感受到的是视频的流畅度好不好，视频种类多不多。它可能节省了公司的成本，但你的先进技术带来的可能是视频延迟更长，或者播放更卡。那么在这种情况下，这种先进的技术就没有帮助，甚至有副作用。

所以关键问题在于，技术是否能够转化成产品的功能，又是否能够转化成用户的体验。一般情况下，越是一些技术背景强的人主导的公司，或者创始人是技术背景的公司，就越容易犯执迷于改进技术的毛病；而对技术不敏感、偏草根或者偏营销的人，不执着于技术是否领先，反而更能贴近网民的需求。

创业贴士 \\\\\\\\\\\\

王小川、周鸿祎总结可供创业早期公司进行研究参考的互联网公司商业模式

■ 成熟模式不一定好，找适合自己的

王小川总结互联网公司从商业模式上可以分为三类：一、客户和用户都是企业（2B），早期要收费；二、面向个人（2C），向个人收费，比如游戏、Avatar、彩铃；三、面向个人（2C），但是向企业收费，比如搜索、新闻。

最好的商业模式是和产品的核心价值相关的。媒体平台是后向收费，广告模式在媒体平台上才会有最大的价值；连接人和人的互联网产品，比如游戏、

SNS，是前向收费，以用户购买游戏点卡、虚拟形象、或者是彩铃等来收费；连接人和商品的电商，主要是向商家收费；连接人和信息的搜索引擎，是靠给用户推荐、帮用户做选择的能力，来获得资金回报。

其实相较于"成熟的商业模式"，我更愿意用的词是"成功的商业模式"。不能说有什么成功的模式可供创业公司思考，其实在收入模式上是没有一个定法的，但是这种功课非常重要，希望创业者能去认真地寻找跟自己想做的事情相关的商业模式，并去认真分析竞争对手，看它在模式上和你的有哪些异同，如果是相同的，那它做得好或者做得不好的原因在哪里，这样的深度分析是创业者的基本功。

■ 没用户价值，就没商业价值

在周鸿祎眼中，商业模式不是赚钱模式，它至少包含了四方面内容：产品模式、用户模式、推广模式，最后才是收入模式，即怎么去赚钱。一句话，商业模式是你能提供一个什么样的产品，给什么样的用户创造什么样的价值，在创造用户价值的过程中，用什么样的方法获得商业价值。

第一是产品模式，也就是你提供了一个什么样的产品。我认为真正能在互联网里做大的公司，都是产品驱动型的公司。所有的商业模式都要建立在产品模式的基础之上。没有了产品和对用户的思考，公司不可能做大，走不了多远。

所以，你提供的产品是什么？能为用户创造什么样的价值？你的产品解决了哪一类用户的什么问题？你的产品能不能把贵的变成便宜的，甚至是免费的？能不能把复杂的变成简单的？这是任何一个创业者在回答商业模式的时候，首先要去考虑的问题。

第二是在产品模式之上，还要讲用户模式，这就是说，作为创业公司，你一定要找到对你的产品需求最强烈的目标用户。如果你说自己的产品是普世的产品，是放之四海而皆准的产品，这说明你没有经过认真的思考。

举个例子，最近到美国纳斯达克上市的YY是一款语音聊天工具，刚起步的时候瞄准的是游戏工会。这些人要玩游戏，要对战，要手忙脚乱地操作键盘和鼠标，就没有时间打字。而且，游戏对战中的沟通不是一对一聊天，是多对多的团队协作。因此，YY就开发出这种语音聊天工具帮助这些游戏工会的人，这些人是产品感受最强、需求最强的一批用户。

另外一个例子是UC手机浏览器，最初UC浏览器是一个WAP浏览器，那个时候手机流量很贵，网速慢，资费高，对于使用WAP方式上网的用户，流量是他们心中的痛。UC浏览器主要针对这部分人，不仅解决这些人的上网浏览问题，而且解决上网的节省流量问题，这是UC浏览器长期主打的诉求，而且他们由此建立了口碑。这就是用户模式，UC浏览器就是一个很好的案例。

第三是推广模式，这就是说你要以怎样的方式到达你的目标用户群。在中国，永远不要相信"酒香不怕巷子深"。如果只靠自然的口碑，即使产品做得再好，还没接触到大多数目标用户，就可能先被互联网巨头盯上了。人家一模仿、一捆绑，你多年的心血就算白费了。然而，很多人一提到推广就想到要花钱，但花很多钱的推广未必是好的模式。你的产品好，但是没有钱去推广，你可能就逼着自己想出很多方法，很多公司在推广模式上的创新都是被逼出来的。一旦有了融资，钱多了，公司往往会直接砸钱做推广，只要给市场总监足够多的钱，他也能想到拿钱去刷地铁、刷公交、刷路牌广告，也能在市场上砸出几个泡出来。但周鸿祎认为这不叫推广模式，真正的推广模式是要根据你的用户群、你的产品，去设计相应的推广方法。

另外一个问题是，砸钱式推广，或者是在大公司里，有足够多的推广资源支持时，往往会给人带来错误的判断，让人产生错觉，以为"一推就灵"，从而不再研究用户需求，不再重视产品的体验，其实这是最危险的。判断是不是真正的推广，最简单的标准是把推广资源一撤，不再砸钱，看产品的用户量是不是往下掉。如果用户量一下子掉下来了，这说明推广无效，产品肯定存在问题。这个时候如果不对产品进行调整，你和团队将面临非常大的挑战。真正的推广是对产品的不断完善和提升。在推广的过程中，你要研究市场，跟目标用户打交道，了解用户真正的需求，了解用户使用产品时遇到的困惑和问题，再反馈到产品上进行改进，并据此不断调整和完善。这样，即使推广没有达到理想的结果，但是通过推广，你发现了产品的问题，你了解到真正的用户需求，你发现了新的用户群，这些收获远比单纯的产品安装量要有价值得多。

最后一步才是收入模式，就是在通过产品获得了巨大用户基数后，考虑怎样来获取收入。其实，商业计划书里的收入模式基本不靠谱，如果一个创业公司真正做起来，会发现公司的收入模式往往与商业计划书的设计大相径庭。在公司发展过程中，收入模式往往不断调整，有时候真的也是依靠运气。比如，谷歌的两个天才创始人做搜索引擎，好几年找不到赚钱的方法，只能是给雅虎这样的门户网站提供搜索技术服务来赚点糊口的钱。这个时候，天上掉下来Overture这个大馅饼。Overture是什么？它是搜索引擎付费点击模式的鼻祖，Overture专门为广告客户提供付费点击服务。如果把谷歌看作是媒体，那么Overture就是精细化广告代理公司。随后，雅虎收购了Overture，整合入雅虎搜索中，谷歌的AdWords借鉴了Overture的付费点击模式，形成了搜索引擎的商业模式。所以，对创业者来说，谈论收入模式，谈论如何赚钱，是最不靠谱、最没有意义的事情。

提起Overture，全世界所有的搜索引擎都使用它创造的付费点击广告模式，但是Overture自己却无法成长为规模性的公司，最后落入被收购的命运（当然，对投资者而言，Overture被雅虎收购，是最好的选择）。原因在于Overture创造的付费点击模式，确实为广告客户创造了商业价值，但是作为寄生于搜索引擎的企业，Overture却并没有为用户创造价值。反而是谷歌将搜索引擎的用户价值和Overture的付费点击模式完美地结合在一起。

所以，在互联网里，创业者如果志向远大，不是满脑子想着赚几个小钱，那他一定得知道商业模式的本质到底是什么，也需要从谷歌的故事里学会一个道理：没有用户价值，就没有商业价值。

很多人提到商业模式的时候，最先想到的是如何盈利。但商业模式并不是赚钱模式。盈利更像是"第七个馒头"，要有前几个馒头的铺垫，第七个馒头才能让你吃饱。独特的、有吸引力的商业模式，总是能让你在残酷的市场竞争中纵横捭阖，但这总是建立在如何最大化地实现用户价值上。

亲历者说 \\\\\\\\\\\\

王兴：校内网是如何从激烈的市场竞争中脱颖而出的？

王兴回忆，在2006年1、2月份的时候，中国基本一个像样的大学都有人在做Facebook。不知道具体有多少，但他们知道的，一二十个是肯定有的。

当时我们从那么多针对大学生的SNS当中脱颖而出，首先运气非常重要。因为我们是清华毕业的，所以我们从清华北大开始，所以早期用户是非常正确以及质量高的。另外我们产品比较简单，一方面我们做得比较好，另一方面我们缺乏资源，也没法做复杂的东西。我们3个人也没有很会美工设计的。所以我们就决定按照Facebook那样抄，所以产品省事，少走了很多弯路。我们的服务器稳定快速，访问量和速度会有很大影响，2006年4、5月用户量不断地涨，我们有个数据库的问题没有解决，所以高峰时期非常慢，访问量非常低，我们自己解决不了，所以找朋友，当时百度慕容君（音）带了另外一个朋友，帮我们检查这个问题，这个问题一解决，访问速度立刻快了，访问量一下子就上去了。这个时候完全是需求在推动，你能服务多少人就有多少人来。

不过我们没什么资源，所以在产品上不会做很多花里胡哨的东西。但在推广上前进速度就非常受限。

I HATE the PENGUIN

你这个创业项目如果腾讯跟进了，完全复制你的产品模式，你怎么办？

第10章

找机构投资

创业公司第一轮融资时应该注意些什么？

大多数创业者对资本市场的游戏规则不是特别熟悉。互联网行业往往要在早期引入大量的融资。而首次首轮融资，创业者比较兴奋激动，但如果在融资过程上缺乏足够的经验，往往掉入许多的盲区陷阱。

■ 法律层面

以下每个小话题都可以是单独话题，裘伯纯只是提供了一个鸟瞰：

股份：各方股份比例；预留多少给员工期权；期权股份池（即ESOP；通常暂不发放，也就暂时不存在）将来发放时稀释谁的股份，稀释多少。还有，创始人的股份在多长时间之后兑现。

董事会：创始团队在董事会的席位，投资人有几个席位；投资人指派的董事对哪些事情有否决权。

公司的知识产权（专利、著作权、商业秘密、商标）是否已经（或书面承诺了）从个人或第三方转给公司（娃哈哈案就是因为宗庆后在这点上反悔，造成了很大麻烦和诉讼）。

交割时间：Term Sheet（或称条款清单）通常没有法律效力（除了保密和排他条款），只有签了合同，一手交钱、一手交股份，才算数。双方都靠谱的话，签了合同，交易就算完成了，交钱只是时间问题，在硅谷签字和入资通常在同一天发生。（补充：创业公司往往有需要尽快达成交割的重要考量，比如计划并购某个公司、需要立即雇一批人开发某个新产品，或者需要抢在某个标杆型公司比如Facebook上市之前完成融资。）

创始人在内的员工是否都和公司签了所有重要协议：劳动合同、知识产权所有权合同、保密协议、竞业限制协议（根据中国法律，竞业限制仅限高层员工和接触保密信息的员工）。

投资人的控制权：交易文件会规定哪些事项需要由股东会和（或）董事会来决定，而且往往写明优先股股东（某一位或者所有优先股股东中占多大比例）或他们提名的董事关于事项的否决权。这些否决权很多是行业常见的，而且比较难通过谈判要求投资人放弃，但是有很多具体事项可以谈，最好让律师帮忙看。比如说，比较严格的否决权不仅要求公司的期权池大小和期权协议内容要股东会或董事会批，甚至还要在每次给员工授予期权时也要批准，这时只要创始人争取，投资人往往可以同意后者不需要再经过批准，以便提高公司运营的效率。

投资人是否要求特殊权利：投资人通常会要求优先购买权（如果公司增发新股，或者其他股东出售股份）和共同售卖权（如果创始人出售股份），这些都是标准的做法，而且可以接受。但是也有投资人要求超额的优先购买权，即在有新股可以买时，其可以购买的比例超出该投资人与其他投资人之间的比例，如果这个权利涉及的百分比过大，会导致在公司未来下一轮融资时，该投资人有进行领投的绝对权利，这会让其他潜在的下一轮投资人对公司失去兴趣。但是如果这个超额百分比不大，则不会有该负面效果，而只是显示该投资人对公司有信心，希望下一轮时能够增加持股比例。

■ 心理层面

张亮也给出了他的几点建议：

别稀释太多股权；别找太多投资人；确认投资人是一个真心支持你的人；融资额可以保障公司达到第一个产品或业务里程碑，即可以展开下一轮融资；最好有 3 个月的额外资金以应对不测。

■ 商业条款层面

胡斌[1]说这不是一个一页纸能回答出来的问题，这里只能写个要点提纲，法律层面参考裴伯纯的回答，心理方面参考张亮的回答，这里只说商业条款层面（非常粗略）：

公司估值、融资额、稀释比例：典型的A轮出让股份15%~35%，价钱自己谈。

投资方的否决权：看看VC（风险投资人）要一些否决权你是否能够接受，这些内容很多很碎。

董事会成员。

清算优先、赎回权、反稀释、创始人股权授予、共同出售权：这些往往有标准条款，不见得能争取什么，但是Founder要理解其含义。

ESOP：期权池的预留。

建议看看查力先生的书《给你一个亿》，这是我觉得最浅显、由浅入深地讲创业者和VC的书，通俗易懂又颇具操作性，最适合国内的创业者看。他的博客上也有书摘。

---

[1] 启明创投合伙人，掌趣科技高级副总裁。

拿到Term Sheet（风险投资协议）意味着什么？

无论创业者的商业计划书写得多么清晰，演示多么精彩，约谈后投资人口头表示有多么看好你，如果没有签Term Sheet就没有任何意义。签署了Term Sheet才是融资的开始。这里面学问很大，听听过来人是怎么说的。

■ 融资有戏，但不能大意

律师周永信[1]*说，拿到 Term Sheet 意味着你的融资大计八字有一撇了。但这时，可千万不要大意：一份典型的投资条款清单也就十几页，甚至只有几页。你是不是觉得轻飘飘的几页纸，拿在手上没什么分量？如果你是这种感觉的话，请速冲到洗手间，往脸上泼一盆凉水回来再说。*

■ 决定企业和你本人命运的要害环节之一！

如果你知道投资人为了这轻飘飘的几页纸，付出了多少惨痛的代价和花费了多少聪明的大脑的脑细胞，就知道它有多么不简单了。

股权投资这个领域，包括风险投资和私募股权投资等，在刚出现的时候，还没有现在我们常见到的投资条款清单。当时的投资人有的是远见和眼光，他们深信股权投资能获得远远高于债权投资的利润。当然，为了获取此超额的利

---

[1] 投融资律师。专注投融资法律服务。

润，他们也甘愿承担高于债权投资的风险。为此，他们也会采取一些必要的措施，以规避和降低自己的投资风险。

但问题是，没有人能预知所有可能和风险。所以，尽管股权投资人不断有傲人的成功案例出现，投资人也从中获得了丰厚的回报，但在这些成功案例背后，是数量更大的失败案例。而在每个失败案例中，投资人都是投入了数量不菲的真金白银的，这使投资人付出了惨重的代价，甚至很多人因此被行业所淘汰。

但智慧的股权投资人，怎会让巨大代价换来的经验白白浪费呢！

所以投资人和聪明的律师一起，不断地以投资实践为基础，对早期的投资条款清单进行充实和完善（最后的成果就是你手上的这几页纸），其指导方针那就不用说了，当然是规避和降低投资人的风险了。但有的风险能规避、能降低，而有的是无法规避和降低的，那怎么办？对不起，那就只好转嫁了，出来混都不容易，这也是没有办法的事。

VC做的尽职调查（DD）一般包括哪些问题？

签完Term Sheet不意味着钱就会马上到账，创业者必须配合风投，展开尽职调查工作。初次创业者对尽职调查流程并不熟悉。这项工作不仅仅是投资方的事，也需要创业者尽量配合。走完流程约定的投资才有可能到账。

■ 尽职调查清单

Raymond wang 列出了一般的尽职调查清单都会包含的部分：

1. 公司基本信息

    A. 注册文件；公司章程及修改；

    B. 董事会和股东会会议记录及决议；

    C. 历史交易，包括并购重组和其他已完成的重大交易；

    D. 公司业务的许可和授权、税务登记证书以及其他政府批准证书和许可；

    E. 股权结构信息；

    F. 董事、高管名单；

    G. 子公司、分公司和代表处图表。

2. 财务信息

3. 资产、知识产权和设备

    A. 自有或租赁不动产清单；

    B. 自有或租赁其他财产清单；

    C. 专利、商标、著作权、域名和其他知识产权清单，包括转让协议和许可协议。

4. 重大合同

A. 经营合同（供应合同、购买合同）；

B. 与高管、股东、债权人之间的关联协议；

C. 关于并购重组和重大资产处置的合同；

D. 其他向潜在投资者披露经营和财务状况所必需的重大合同、备忘录；

E. 与员工和股东之间的竞业禁止协议和保密协议；

F. 与财务顾问之间的协议；

G. 信贷协议、抵押协议。

5. 员工

　　A. 公司组织结构图；

　　B. 核心员工名单；

　　C. 与管理层、员工之间签订的合同；

　　D. 管理层的外部任职。

6. 保险

7. 诉讼

■ 用清单模板很难换取精准信息

*这是个很经典的问题，很多朋友都问律师*刘武亮[1]*要过尽职调查清单模板。*

---

[1] 律师、企业法务。一个在律所和企业之间开穿梭巴士的人。

网上也遍布着各种尽职调查清单版本。但说句实话，用这些清单模板，在时间紧张的尽职调查过程中，是很难换来精准的信息的。当你飞了上千公里到达目标公司，发现自己面对的是一堆没什么大用的资料，甚至目标公司的人员要按你的指示现找资料时，你就会知道，一份没有用心去做的尽职调查清单，会毁了一次尽职调查的机会。于是你就得多订几天酒店，坐等资料被重新搜集整理，或者先草草结束这次尽职调查，再多订一次往返机票了。

因此，为了避免遗漏，先列出尽职调查清单的几个大的方面，比如可分为：公司主体情况、股东情况、资质和行政许可情况、营利和业绩情况（重大经营合同）、固定资产情况、无形资产情况、员工情况（组织结构、薪酬、社会保险以及核心员工名单）、违法和诉讼情况……财务、法务清单可以合一，也可以分开，但业务清单和技术清单通常是独立的。

尽职调查前，弄清楚在本次投资中最看重的目标公司的价值是什么，再分析这种价值在各个方面的载体，把所需要看的具体内容列入上述各个方面的明细清单中。

你若看重团队，就重点列出核心人员履历、劳动合同期限、竞业限制条款、期权等福利制度等；你若看重技术壁垒，就重点列出专利、软件等无形资产的清单、专利和著作权的证书复印件、商业秘密的保护措施；你若看重用户群，就重点列出商标清单和注册证书、用户的具体统计方法和数值定义等。

尽职调查前，尝试分析一下目标公司的商业模式中，最容易发生的风险是什么，再将可能诱发这些风险的因素列到上述各个方面的明细清单中。

目标公司有构成滥用用户数据侵犯隐私的风险，就重点看看其经营中是否有适当的个人数据使用协议？是否在搜集和传播个人数据时对用户有足够的提示和"同意"点击？目标公司有构成侵犯著作权的风险，就重点看看其行为是否符合"避风港"等免责条件？目标公司有用户退费的风险，就重点看看用户协议中是否有明确的约定或者企业有产品退换机制？

把上述要点列入清单后，附上尽可能详细的资料整理说明，如按什么表格样式整理清单，是否需要核验原件，复印件需要准备几份？准备好工商档案查询手续，以便在投资方人员陪同下，到工商局打印全套工商档案等。

■ 用列举＋概括的方式列出资料清单

根据投资目的列出尽职调查目的，再根据尽职调查目的制定尽职调查清单。

业务、财务、法务和技术人员事先深入地讨论目标公司商业模式是非常重要的，尽职调查不仅是为了查实目标公司的现状，更重要的是获取足够的信息用以分析未来的情况。

列举要尽可能的具体，最好能在前往目标公司现场尽职调查之前，和目标公司的人员保持沟通，以指导他们按尽职调查的需求整理资料，以节约在目标公司现场办公的时间。

概括是防止遗漏自己没有考虑到的重要资料。概括的内容应当结合将来投资合同中做陈述和保证的内容来做。

有针对性调查的前提是尽量齐全地搜集资料，其实对任何企业的尽职调查而言，查阅能查阅的一切，带走能带走的一切，应该都是首要原则。

之前之所以要强调有针对性地列资料，是因为调查信息的细化是无止境的——比如一份专利证书，简单地看看原件，只能确认有这样一份文书，上网查查能核实这份文书的真假。但如果这个专利是企业竞争力的核心，就需要考察专利的剩余时间对经营的影响，还有在技术上是否可能被轻易地绕开，企业已申请的其他专利是否已形成了一个互相保护的专利壁垒。

再比如软件著作权，如果是不重要的软件，只要看看是否盗用过第三方的源代码，以确认是否能继续使用就OK了。但如果是非常重要的无形资产，除了要看各版本是否都有著作权登记外，还要核实源代码的开发过程，看参与开发的人员是否签了知识产权归属协议，看源代码是否含有开源代码或员工从以前的企业中带出的代码，看源代码在开发过程中的保密技术措施，是否有可能被之前已离职的员工带走部分源码。如果是委托开发的，与受托方对著作权的详细约定是怎样的……

但是，尽职调查的调查周期是有限的，消化资料和撰写报告的周期是有限的，投资方阅读报告的精力也是有限的。如果遇到必须要简化调查内容和报告的情况，我们需要从清单阶段就做好准备，确定重点，以保障最重要的内容得以核实并反映在报告中。

VC经常问创业者，如果腾讯"跟进"会怎样，创业者如何回答？

业界经常说腾讯爱好"山寨"。但是一个产品别人做、腾讯也做，这是很正常的市场竞争行为。VC最爱问的问题是你这个创业项目，如果腾讯跟进了，而且几乎是产品上完全复制，你会怎么办？这个情况是创业者必须面对的问题。

■ 你做的不是创新，是生意

朱继玉认为，第一，有的产品之间并不是非此即彼的关系！这世界上的东西，有些有一个就够了，有些则多存在一个，给大家多一种选择，更好。比如QQ这样的通信工具，有一个就够了，多了也没用，但是像BBS论坛，则多一个挺好，每一个氛围都会不一样的。

所以，小公司最好是选择做后者，当腾讯过来抢市场的时候，它的大举进入，会大大扩大市场空间，使得更多的人接受这个新事物。人家并不是抢了你的市场，而是帮你扩大了市场。因此，你就可以跟着它发展，利用它快速扩张的能力，实现自己的扩张。只要你能做出自己的个性来，用户通常都会选择在使用腾讯服务的时候，也来尝试一下你的服务。所以在用户身上下功夫，只要做出自己的特色，一定能留住大量用户的。

世界上用户只需要一个的东西很少，所以这么多年，腾讯真正踩死了的公司没几家，反倒是很多可以利用腾讯的竞争，更好地发展自己。像论坛门户网店这些，用户自然是喜欢多一家，多一个选择。即使像QQ这样简单的小工具或像操作系统这样复杂的工具（这个只是表面上用户看到的简单或复杂，实际上QQ背后未必比操作系统简单），世界上都不会只能活一家。所以说，要求用户只能用什么，不能用什么是件特傻的事情！大部分人都是可以在腾讯的竞争中获益的。

第二，看清竞争的本质。据我们所知，过去的十年里，真正是被腾讯吃掉的有了名气的公司，也就联众一家吧。说这个的时候，一定还会有知友出来跟我提开心农场的例子。那就一起说说它们，虽然一个是企业，一个只是一款应用。

联众之死，有多少原因是因为腾讯，还是要两说的。如果联众有个好的掌舵人，它应该是可以参考盛大和4399小游戏的发展过程，而不该走上关门大吉的路。如果说腾讯挡了联众的路，把它逼到死胡同，那盛大和4399这两种模式怎么就活下来，并不断壮大了呢？

　　农场的事，可以换个更通俗点的说法。世界上有几家赌场，开始都只玩牌，突然有一天，你在自己的小赌场里开始玩一种新东西，叫农场或者麻将都行，突然吸引了很多人来你这玩。这个时候，大赌场看到这个玩法很受欢迎，赌客被你抢走了不少，于是也引进到自己的场子里玩，又把大部分赌客给抢回来了。你能说人家抄袭你，只有你的场子能玩农场或者麻将，而人家不能玩吗？一家赌场的发展，靠的是自己的服务和环境，而不是靠一种别的场子都不能玩的新玩法。

　　不同的生意，竞争因素也各不相同。开饭馆和开赌场就大不一样，饭馆可以靠名厨师做出独一无二的美食来供顾客享用，而赌场里的玩法都一样。因此你要明白自己做的是一个什么生意。但是，不管腾讯的赌场有多大，你也还是可以再开一家的。而如果你开的新场子又能第一个提供农场这样大热的玩法，使得赌场一炮打响，那该是个多么成功的开始啊！而在成功之后，最该考虑的是如何提高服务质量留住赌客。之所以腾讯留住了"赌客"，而其他公司做农场没有留住，那是因为腾讯提供的配套设施齐全，在玩农场的时候，能得到更多的其他服务，而其他公司没有那么好的服务和配套。

　　我们如果只做一个农场，或者只把眼光局限在提供一个农场的玩法，或者再挖空心思想一个更新的玩法，那我们根本就不能算一个生意人。应该知道，不论是开始做游戏大厅的联众，还是后来靠农场起家的开心，只要是在互联网上玩数字娱乐，不管你玩法如何新鲜，都不过是先开一个场子，或者在腾讯之外再开一个场子而已，最后的竞争都是一样的。不要说我是什么"社交网络"新事物，太阳底下就没有新事物，一切不过是过去种种的重复而已。最后的竞争本质还是要回到谁提供的服务好，谁的配套设施齐全，谁的环境气氛好上来。

因此，弄明白你的创新是只是一种玩法，还是一种完全不同于腾讯的新生意，是很重要的。

第三，别把创新、模式、点子看得太高。把自己的姿态放低点，生意就是生意！而做生意并不必然需要创新啥的。做生意只要诚信、服务好、为顾客提供价值就行了。顾客也不在乎你是创新的，还是抄袭的。我斗地主的时候，只在乎在哪斗地主好玩，哪管它斗地主是谁想出来的。所以，创业只需要会做生意就行，而不需要会创新。这也是为啥很多初中高中毕业的人，最后在生意场上比那些学历更高的人还要成功的原因，而他们起家的时候，甚至完全没有什么创新，只有模仿。因为生意并不必然要求创新，会模仿就够了。

所以，你应该明白：你做的是生意，不是创新，腾讯抄袭的是创新，而不是生意。因为腾讯早就在做生意了，它抄你的创新，不过是为了给顾客提供更好的服务，让自己的配套设施更齐全而已，无可厚非。而创新之后，你要做的就是学习腾讯，学它怎么做生意，或者叫抄袭腾讯、山寨腾讯都行。它山寨你的产品，你山寨它的生意。

关于腾讯的竞争，我想说的就这三点了。不过，对一种企图避免别人来竞争的错误观点，我还想说几句。这种错误观点的做法，为的无非一是保持神秘，二是持续创新，以做到让别人无法模仿抄袭。

游戏是游戏，生意是生意，游戏可以保持神秘，但生意不行。这世界上，完全让别人看不懂、无法抄袭的生意，根本就找不到客户和投资人。如果你这么认为，只能说明你自己都还没弄明白你究竟是在做什么。

看看互联网上的一切事物，有几件是别人从战略上就看不明白，然后根本就无法抄袭的？当然有一种做法，就是前期根本不赚钱，拿钱使劲烧着赚吆喝，别人不知道你将来如何赢利，自然无法抄袭。自己人说我们不急着赚钱，外人想不明白怎么能赚钱。不赚钱的事情，根本就不是一个生意，自然也就无从竞争了。但事实上，现在只要圈用户的东西，不管赚不赚钱，是不是生意，都会有竞争了。

太阳底下没有什么新鲜事，别人无从下手抄袭，或者抄了"画虎不成反类犬"的，就算有也太少了。反倒是，大多数的事物都是大家越抄越改进，然后变得更漂亮更好用。

对于一个创业者来说，能创新一次就已经难能可贵了，你还想不断创新下去，这世界上有几人能有这个能力？除非是上帝，或者接近上帝的人。乔布斯算是一个。而一个普通人，一开始就想着，我靠自己的创新能力，一直持续创新下去，其最后的结果，只能是拖垮自己。因为他一开始就走上歧途了。既然谈到这个，顺带给创业者一句话：你做的是生意，不是创新，别搞反了。创新只是手段，生意才是最终的目的。没有真正创过业的人，往往很难理解，不断涌现的新idea，是创业公司最大的敌人。

还有一种观点是"快"。看着有点像是武侠小说里高手们在谈论剑法，"天下武功，唯快不破"。但是现实生活中，有谁能举一个大公司是靠快人一步成功的吗？微软出现在IBM之后，谷歌也不是第一个做搜索的，Facebook在MySpace之后，腾讯的QQ，也是出现在ICQ之后，何来快啊！我反倒支持相反的做法：图大则缓。缓不是目的，缓是为了做精，慢工出细活。一个公司最后在竞争中胜出的关键，还是要靠产品精、服务好！否则即使你跑得快，后期也会被人把客户抢走。

■ 避免正面冲突，无论多巨大，有优势就会有劣势

王钰琨[1]*给大家分享他的一些经验。*

腾讯的优势：

1. 现金流。几个核心产品的输血能力很强，如果一个产品需要烧钱，小团队和腾讯对烧肯定是自寻死路（至少现阶段）。

---

[1] 美团产品经理，前腾讯产品经理。

2. 技术实力优势。我觉得大家总是觉得腾讯技术实力不行，但是这是绝对不正确的。小的创业公司不要迷信自己的技术多么牛，自己的加班能力多么强，也不要列举某些腾讯的产品技术多么不行。

这个问题应该换个角度来看，首先，腾讯的薪酬水平是国内互联网中相当好的（挖牛人能力强），比如我所在的团队，有着百度、谷歌、微软等公司的老开发，能力上都是非常不错的。另外，腾讯的整个企业中，各个产品类型都有（涉及各种不同的技术），也有研究院在，换句话就是讲，如果要找开发、组团队，实在太容易了，完全不需要准备和培养，从部门抽调即可；如果你的产品价值很大，获得了足够的关注，我相信技术门槛对于腾讯来说是绝对不存在的。

3. 渠道、多产品联动。这个做过产品的人会知道，宣传渠道、拉新这些对每个产品都是永恒的难题，在腾讯的环境下是多么的简单。一天百万以上的宣传曝光渠道，是很轻松的事。而且同类产品的互相联动是非常给力的。比如说，你做一个娱乐类App，腾讯做一个娱乐类App。Qzone（QQ空间）免费就给自己推广了，你呢？腾讯的新产品有包括 QQ消息、各种活动在内的互相拉动，完整的客服回首流程，以及定额的用户服务费用，你呢？

所以，确实不是自满和自吹自擂。腾讯发展到现在，在互联网产品中，已经是一个集团军作战的态势了。如果创业团队选择的领域是腾讯的重要目标领域，建议绕道或者重新思考。（如果一个领域腾讯重视了，说明他的成功也比较有难度，否则腾讯也看不上，所以，重新考虑下投入风险回报也是有必要的。）

腾讯的劣势：

我可以举个例子：新浪微博战胜腾讯微博是利用了博客延展的名人资源。同时举一个例子就是微信和米聊，这个软件是典型的线上产品，需要技术和用户体验，大家看看米聊撑了多久？也就是一瞬间的事。

■ 延伸你的核心竞争力

廖斌 [1] *认为被腾讯模仿致死的产品都是单一的线上产品，与线下结合不紧密的产品。换个角度说，是一种技术向的产品，而不是运营向的产品。你看看腾讯的产品，有多少是跟线下资源结合的？所以回到现实——现在做产品，只有做垂直、做线下资源才能提高门槛，逃过大鳄们的吞噬。*

腾讯所有抄袭的产品，都是以庞大的用户数量为基础的。真正需要与实物发生关系的产品，他们貌似还没一个成功案例。从他们做电商的一败涂地就可以看出，腾讯在线上线下资源整合、运营上的能力非常差劲。

腾讯的规模大：管理困难，决策相对缓慢。腾讯的人数扩张得很猛，以前的扁平化的管理结构被冲击得很厉害。导致的问题就是决策慢、矛盾多，另外

---

[1] 自由产品人，试验产品：爱羽客、体育社。

确实也会出现员工的效率不够高的情况。不过还是请记住一点，反应慢不代表资源差。如果你有 10 个人，你要考虑腾讯有可能可以投入 30 个人。就跟兵团打仗一样，你就算有 10 个武林高手，也架不住几百个农民拿刀砍你，况且腾讯的人的素质，也都是高手。

　　VC（风险投资人）之所以问你这个问题，还是希望你看清楚，你对于自己的产品和团队有多大的信心。一个强大竞争对手的出现是必然的（这里只是拿腾讯做了个例子），互联网不存在所谓的非竞争领域，或者聪明才智的盲区。弄清自己的核心优势是哪些，才是最重要的。

　　　　如果你喜欢的人（用户）被另一个条件更好的人（大公司）追，你怎么办？比外部条件你比不过，那你只能从细节（细分市场）入手。条件再好，也有劣势，我们可以避开他的优势（财力资源丰厚），与他的劣势正面对抗，充分了解你喜欢的人的爱好（用户需求），然后把你能做的做到极致。而且过程中不断地学习他追她的方法。在不断争取的同时不断地快速学习。即使最后输了，你得到的也会比你想象的多。

KEEPing A PROMISE

没有投资人会逼着你承诺你做不到的事，只有大脑发热的创业者，
没有拿刀子逼你就范的投资人。

■ 融资速度比价格更重要

我见过一些创业者有了好的想法就像抱着金娃娃一
样，觉得全世界只有自己一个人能想到，自己这个想法
融到钱就一定能够成功。所以很多创业者在早期的时候
跟很多投资人计较来计较去，如果不能把公司融资的价格弄高一点，就觉得自
己没有面子。我一直主张，在天使和A轮阶段的创业者就是要快速拿到钱，可
能由于你第一次没有经验，你拿到钱的条件也许不会特别好。

真正融资成功的人，都会为融资的高价格付出相应的代价，比如若估值很
高，投资人就觉得不安全，就一定要跟他做对赌，而这往往会带来双输的局面。
对于一个刚出道的创业者，我认为最重要的是快速拿到钱，快速干活，快速把
产品做出来，快速把产品推出去，最后证明你价值的不是你的融资价格，而是
你做成功之后，上市或者并购时的那个价值。融资价格高也并不代表真正的成
功，融资只是一种手段，最重要的还是要把你企业的产品和市场做好。

我给大家讲一个自己的例子，我第一次做公司的时候没有一点融资经验，

当时 VC 只投海归，后来我好不容易见到一个 IDG（专注中国市场的专业投资基金），市面上有很多的谣传，IDG 问我要多少钱，他们心理期望是 200 万美元，但是我战战兢兢在心里盘算了一下，说 200 万元就够了。他们问我说，200 万美元？我说人民币啊。他就压抑着心里的欣喜说，投 200 万元吧，要 25% 的股份，这个条件好吗？肯定不好，但是我从来没有后悔过，甚至我从来没有埋怨过 IDG，他从我的公司赚了超过 100 倍的回报，我还是觉得蛮开心的，为什么呢？因为我觉得没有那笔钱我就不可能进入互联网，也没有后来的尝试。

投资人很喜欢我，因为他们都从我身上赚了很多的钱，但是我也感觉得到了他们很多的帮助。我记得刘少奇说过一句话："吃小亏占大便宜，有的人是占小便宜吃大亏。"所以，我觉得创业者早期的时候不懂融资没有关系，迟钝一点没有关系，被人家揩点油也没有关系，最重要的是你能够拿到投资人的支持。

市场有的时候就这么残酷，就像两支军队抢夺一个山头，这个时候谁不要命先爬上去，哪怕比别人领先十分钟，你先架起机枪就能横扫。时间和机会往往比你融资的价格更为重要，这是我的第一个建议。

李楠非常认可周鸿祎的说法，他认为企业融资的目的是获得预期中的高速成长，融资对于企业来说，有时候是 0 和 1 的问题，不是 1 和 2 的问题。比如你 2013 年预测利润 500 万元，2014 年预测利润 800 万元，如果有投资人给你开 4 000 万元投后估值和你自己心理价位 5 000 万元投后估值，在他看来没有任何区别。

我曾经很多次见到有些死心眼的创业者，在自己徘徊于生和死、或者 1 年内发展不起来就会被吃掉的危险时刻，跟我纠结是 10 倍 PE 还是 8 倍 PE。他们想的永远都不是企业活下去，把竞争对手通过资本的力量打倒，而天天在那里算小账。这毫无意义。

我举个正面的例子，去年 9 月资本市场转冷之前，我担任独家财务顾问的一个四川企业，以 2012 年预测利润的 10~12 倍拿到 4 个 Term Sheet，但随着时间的推移，我们预判环境会越来越寒冷，后来发生了很多不确定的事之后，我劝说企业家以 10.3 倍 PE 迅速接受了投资，不但完成了 2012 年的业绩承诺，最关键的，在资本市场彻底寒冷之前，他们活下来了。

有时候，手里有粮，心里才不慌！

其次，真正融资成功的人，都会为融资的高价格付出相应的代价，比如估值很高，投资人就觉得不安全，就一定要你跟他做对赌，而这往往会带来双输的局面。对于一个刚出道的创业者，我认为最重要的是快速拿到钱，快速干活，快速把产品做出来，快速把产品推出去。

对赌条款学名叫业绩承诺条款。作为融资方，你要把投资人当你的老公来看，也就是说你们是联姻关系，不是卖身关系，投资人就投你 20% 甚至更少的股份，你还在控股呢，你怕什么呢？

这世界上凡事都要有代价，你到处贷款无门，没资产抵押的时候有人愿意冒着风险，按照你的出价和条款给你股权投资，难道你不应该负点责，给人家业绩承诺吗？

从我的角度来说，从天使轮到Pre IPO，甚至上市公司并购，全部需要对赌，这是对投资者的利益保护措施，也是必要的风控措施。尽管真的出事的时候，别说对赌失败的股权赔偿，估计连回购所需的资金也没有了，对赌对投资人来说，有时候仅仅是心理安慰而已。

投资人的诉求是企业发展壮大，获利退出，而不是得到企业对赌输掉赔偿的股份，当企业没有未来了甚至要倒闭了，赔偿的股份有什么用？

此外，证监会是鼓励并购对赌的，这是对股民利益的保护措施。

但是，为什么有那么多人讨厌对赌，以我的经验来看，多半是两个原因：

1. 不自信；

2. 对自己的未来没有清晰的预测和规划，大脑发热瞎承诺。

没有投资人会逼着你承诺你做不到的事，只有大脑发热的创业者，没有拿刀子逼你就范的投资人。

我认为融资价格高也并不代表真正的成功。融资只是一种手段，最重要的还是要把你的企业的产品和市场做好。最后证明你价值的不是你融资价格，而是你做成功之后你上市或者并购的时候的那个价值。

这是完全正确的，估值太高，第一你对赌压力会太大，其他条款也会苛刻得多（比如回购、股息、赔偿、分红），第二，会严重影响到你未来的融资。

举两个案子：

A：某公司天使轮，投资人占了59%的股份，直接把后面融资之路堵死了，一个创业团队丧失控股权的项目，不会有人感兴趣的。

B：某公司在起步阶段以一个亿估值融了1 000万，但三年过去，这一估值始终没有溢价空间，无法进行后续投资，倒是有很多投资人感兴趣，但面对公司三年来的业绩，人家开不出来超过8 000万的估值。

寒冷的冬天，只有拿到柴火和粮食的人才能活下去。

不是所有的粮食都是无毒的，不是所有的粮食都是免费的，凡事都要有代价。

真的不要以为自己很了不起，去看看凡客和小米的A轮对价和后来发展的趋势，真不能说凡客或小米亏大了，那个时间点，雷军能选择的只有合理的对价拿到合理的钱。

我只谈一下我见过的、我亲手设计的，或者上市公司并购案披露的对赌条款。

私募股权融资案例里的对赌：

1.最简单的对赌：现金对赌

含义：达不到业绩承诺值之后，现金补偿，补偿方式多种多样，可以用现金补偿承诺差值，比如你承诺2000万利润，只做到1900万，那你要赔给投资人100万现金，每年考核一次。

或者按照这个公式进行现金赔偿：$Y=(M-V\times Z)\times(1+R\%)\ T$。其中，Y 为补偿金额，Z 为投资人接受补偿前的持股比例，V 为当期调整后的目标公司估值，M 为投资人的投资额，T 为自投资交割日至投资人执行选择权并且补偿金额全部支付之日的自然天数除以 365，R 为 15。

2. 常用对赌条款：股权对赌

含义，按照业绩承诺的标准和下限，按比例进行股权补偿。下面这个公式是个典型的股权赔偿条款，股权赔偿的条款设计方式太多，奇葩条款屡见不鲜，甚至上市公司并购条款里，连现金流对赌都放在里面，稍后我会赏析荣之联并购车网互联的对赌案例：$X=M/V-Z$。X 为应无偿转让的股权比例（简称"补偿股权"，X 应为正数），Z 为投资人无偿受让前的持股比例，V 为当期调整后的公司估值，M 为投资人的投资额。

此外还可能有补充条款：若之前年度，原股东或公司已经向投资人支付了现金补偿或者股权补偿的，则本年度现金补偿金额应调整为：$C=Y-B$。C 为本年度应补偿的金额，其中 Y 为应补偿的金额，B 为已经执行的补偿金额（若之前年度执行股权补偿的，则应当将该种补偿折算成现金补偿的金额，计算方法为执行股权补偿年度当期调整后的公司估值乘以当期所补偿的股权比例），但 C 应为正数。

当然，有经验的财务顾问或者企业家，会就对赌条款进行一些优化，比如下面几种典型的优化措施：

对赌期两年，考核两年总业绩承诺，而不每年考核；或每年考核，但是达到 90% 承诺即视为完成业绩；若出现重大问题，如只完成 70%，则投资人有权要求赎回，而企业家有权主动要求投资人以年利率 12% 的收益赎回退出。

上述条款，只是一个例子，实践中，对赌条款各种各样，企业家必须要做模拟推演，考虑比较极端的情况，而且尽可能拒绝个人资产连带责任的情形。

我的工作，就是帮企业反复计算什么样的公式能使企业在极端情况下不至于把老婆本都搭进去，再尽最大努力争取优化条款。而我有时候直投时，也会尽量考虑企业的实际情况，给予一定的宽容度。

当然，目前大部分投资人，都不会接受双向对赌，也就是企业家赌赢了，投资人反贴股份，在目前资本市场一团糟、企业融资困难、投资风险越来越不可控的情况下，双向对赌是几乎不可能的。

上市公司并购案例里的对赌：

目前证监会的重组委，对重大资产重组涉及的业绩承诺是高度重视的，而且不遗余力地推行保护上市公司利益和股民利益的行动，任何站在保护上市公司利益和股民利益角度设计的对赌条款，重组委都是欢迎和支持的，只要没有法律瑕疵，一般都会获得通过。

在这里只举一个比较奇葩的案例，也是今年 A 股市场最严厉的对赌协议：荣之联并购 IPO 失败的车网互联。业绩承诺核心条款为：

1. 2013 年、2014 年、2015 年、2016 年，车网互联的实际净利润应分别不低于 6 276 万元、8 312 万元、10 910 万元、13 733 万元。2013 年至 2016 年净利润均为车网互联合并报表中扣除非经常性损益后归属于母公司股东的净利润。

2. 2013 年至 2016 年，车网互联经审计的每年经营活动产生的现金流量净额应为正数。如果前述提及的任一会计年度，车网互联经审计的经营活动产生的现金流量净额为负数，则该等经营活动产生的现金流量净额的负数应等额冲减车网互联同期的净利润，冲减后的净利润才能被认定为当年的实际净利润。

3. 2013 年至 2016 年，车网互联的前述净利润应全部来自物联网技术解决方案和服务以及行业性的运营服务平台业务。

赔偿条款为：

1. 股份补偿从 2013 年至 2016 年的每个会计年度结束后，如果车网互联任一会计年度的实际净利润未能达到交易对方该会计年度的承诺净利润，交易对方应以其持有的公司股份向公司进行股份补偿。

2. 每年股份补偿数量的确定交易对方依照下述公式计算当年应补偿股份数量，即交易对方每年补偿的股份数量 =（截至当期期末累积承诺净利润数 - 截至当期期末累积实际净利润数）÷ 2013 年、2014 年、2015 年、2016 年各年的承诺净利润数较 2012 年经审计净利润数增加数总和 × 本次发行交易对方认购股份总数 - 已补偿股份数量。

综合来看，窃以为，拿现金流出来赌是不太理智的，这可能和车网互联面临的困境存在一定关系，而荣之联算是占了个便宜吧。

■ 有限责任公司和股份有限公司的不同

Ronnie Xiao [1] *为了这个问题专门咨询了有着丰富公司设立经验的律师。*

《中华人民共和国公司法》关于董事会投票权的规定：

有限责任公司

第四十九条董事会的议事方式和表决程序，除本法有规定的外，由公司章程规定。

董事会应当对所议事项的决定作成会议记录，出席会议的董事应当在会议记录上签名。

董事会决议的表决，实行一人一票。

---

[1] 做过研究员，擅长尽调，翻过山下过海，学习私募业务中，对电影产业有执着的爱好和深入研究。

股份有限公司

第一百一十二条　董事会会议应有过半数的董事出席方可举行。董事会作出决议，必须经全体董事的过半数通过。

董事会决议的表决，实行一人一票。

一人一票，是董事会的基本原则，即无论是董事长、副董事长、独立董事或者董事，具有的投票权都只有一票。

其中，《公司法》对于有限责任公司的董事会表决程序的规定较少，因此在公司章程的制定中，有较大自由发挥空间。

而之于股份有限公司，由于《公司法》已经规定：董事会作出决议，必须经全体董事的过半数通过。而董事会的人数遵循：

第一百零九条　股份有限公司设董事会，其成员为五人至十九人。

实务中不可能达成董事长或者某位董事的一票通过权。但是可以通过公司章程内规定，公司的某些重大决议，必须获得董事长或者某位董事的投票通过，方能生效；这样从实质上，就达成了一票否决权的效果。

由于董事长，副董事长和董事是由股东会任命的：

有限责任公司

第三十八条　股东会行使下列职权：

（二）选举和更换非由职工代表担任的董事、监事，决定有关董事、监事的报酬事项

股份有限公司

第一百条　本法第三十八条第一款关于有限责任公司股东会职权的规定，适用于股份有限公司股东大会。

公司法关于两个以上的国有企业或者两个以上的其他国有投资主体投资设立的有限责任公司之外的有限责任公司的董事选举没有明确规定；

关于股份有限公司的规定：

第一百零六条　股东大会选举董事、监事，可以依照公司章程的规定或者股东大会的决议，实行累积投票制。

本法所称累积投票制，是指股东大会选举董事或者监事时，每一股份拥有与应选董事或者监事人数相同的表决权，股东拥有的表决权可以集中使用。

因此，实务中，可以通过在公司章程中规定各股东的所持股的投票权，董事的提名权以及表决权的集中使用进行规定，从而达成对于董事会成员任命的有效控制，并最终影响公司的决策。

WHY SO SERIOUS?

第11章

团队初次扩容

拿到A轮投资之后，怎样把握招人的节奏？

我们拿到了A轮融资，公司资金可以支撑50人左右未来几年的成本支出。是马上进行大规模招聘达到这样规模的团队，还是跟着产品业务所变化的发展？是先搭班子再做事，还是先做事情再搭班子？

许红梅[1]说创业公司拿到A轮投资后，一般会大量招人。终于获得了新的资金，公司进入加速快跑的阶段。大量的新员工在短时间内涌入一家创业公司，对公司的管理是很大考验。

我看到过一家创业公司，拿到A轮投资后，在四个月内迅速地从30人扩大

---

[1]　前创新工场人力资源副总裁。

到 120 人，之后在公司不能保持一路高歌的时候出现了很多问题，比如核心员工被竞争对手挖走后又从公司挖走其他员工，公司的士气低落，原本薄弱的公司的文化和价值观几乎无法传承等。

建议公司在拿到 A 轮投资后注意以下几个方面：

公司文化：创始人或者创始团队首先明确公司的文化和价值观，当然也要得到现有员工的支持，把它作为招聘新员工的标准之一，这样尽量做到进入的新员工是符合公司现有文化的，不会出现大的价值观上的分歧；

招聘节奏：创业公司总是处在缺人的状态，投资到位后，所有的部门都要招人。节奏很难把控好，招得快了，对公司原有文化是个冲击，招得慢了，又可能丢失市场机会。节奏没有一定之规，如果公司的原有团队牢固，那么招人的速度就可以快些，如果原有团队还需要夯实，那么招人的速度就稍慢；

生产力：招人的节奏不是最重要的，重要的是新人进入后如何快速融入并且产生生产力。方法有很多，有一条特别提一下：给每个新员工配一个师傅，这个师傅最好是公司早期员工，有利于公司文化的传承。

如何协调新老员工关系？

朋友介绍了一名人才，能力很强，但资历比较弱，年龄小。如果安排到重

要岗位也许会不服众，怎么协调他与老员工的关系？

axureMaster[1] *认为这是你的事，也是他的事。*

你的事是要平衡关系，他的事是要得到众人认可。所以，你应该制造一个众人的环境，然后让他把能力展示出来：

1. 招进公司，给个不管人的高 title（头衔），重要议会上隆重介绍给大家；

2. 等至少两三个月后，发现他确实是个人才，就把握或制造一个契机（如果发现不是人才……）；

3. 通知他做准备，然后在公开、公平、公正的众人环境下，让他自己展示能力；

4. 能力得到认可，则开始名正言顺（从此前的虚 title 换成真正做事的 title）地重用此人；如果能力不行……

张 helene[2] *说一个能力强、年龄小、资历浅的人才，放得太低他会有"明珠投暗"的感觉，容易产生挫败感，会影响他能力的发挥，也会对他认同公司文化、融入公司团队产生一定的障碍；但如果把他放得较高，不易服众，还会让公司老员工产生"外来的和尚好念经"的感觉，不利于公司的团结。*

比较可行的解决办法就是把他放在一个没有手下的"中高位"，实发的薪水也要低于许诺的正式职位的薪水三分之一或四分之一（当然如果公司财力丰厚不在

---

[1] 在知乎的互联网产品、电子商务和 Java 话题下最擅长。

[2] 餐饮行业管理者，对知乎上团队管理类话题有不少优质回答。

乎那多发的几千元也无所谓，但此举的真正目的是为了在心理上给他一定的压力），等待他自己用事实证明了自己的能力并被大部分员工认可之后再正式授以高位。

但我感觉在实际工作中，年龄小、资历浅的人，能力强的真不多，更多的还是嘴皮子功夫超过动手能力，若是听应聘者几句吹牛就轻信他，会助长他夸夸其谈的风气。

创业公司如何做校园招聘？

■ 突出你的优势，没有优势就创造优势

关于如何招聘，王俊宏❶从他做猎头的经验出发，觉得大多数公司的招聘总是有很多提升的环节；每个公司都有不足和优势，但是大多数的招聘中这些信息传递得不够。从具体的策略上他提以下建议：

1. 如何和知名的老牌公司以及有背景的创业公司竞争？

越狱中 T bag 讲过他们和黑人竞争的工具是"surprise"，乔布斯在苹果曾经依靠 MP3 的大容量和超长待机时长把对手打击得一塌糊涂。而一般小的创业公司可以走"专注"的方式来争取到优秀的人才。

大公司，比如小米和 UC 优视需要去的校园很多，这样投入在单个学校上的

---

❶ 生在农村，长在农大；毕业以后一直做自己喜欢做的事情，最近重新回到猎头行业！常常读圣经！

精力就会少一些，所以大的方向上一般的创业公司要主动的把资源分布在更少的学校，同时要注意控制简历池的大小。

2. 一般的创业公司的 HR 要更懂业务和团队。

以互联网行业的招聘来说，小的创业公司在概念、资金、品牌上都很难和大公司竞争，HR 的工作压力也相对比较小，可以花很多的时间去理解业务；以猎头的经验来看，候选人很希望猎头是在使用相关行业的产品，很希望他知道各家的优势与劣势，很希望看到他有丰富的预测行业和公司未来潜力的经验和足够的技能。

另外 HR 要努力去挖掘创始团队的一些东西，任何企业都有很值得挖掘和宣传的东西，只是大家没有足够的信念去挖掘这些东西。举例来说，如果是挖掘一个打字员的优势，那么连续十年不迟到、连续很长时间在一直提升打字的速度和质量、会修理简单的硬件技术故障、会使用好几种输入法，这些东西都是优势和可以用来沟通的东西；以一般的创业公司来说，创始人曾经在打工阶段取得的业绩、创始人曾经的创业过程中对于员工的尊重、创始人对于资金和风险的把控能力、创始人的价值观、创始人取得了哪些业内知名人士的友谊和信任、创世团队有哪些超强的能力，这些都可以去挖掘。

有针对性地挖掘公司的优势，有的时候可以取得以大搏小的效果；就比如父母看孩子一样，哪个孩子不是充满了优点的可爱天才呢？需要我们有耐心地认真去挖掘和发现。

如果实在绞尽脑汁也没有找出足够的卖点，那么就勇敢地去找老大，和他说："老大，现在在校园招聘中的情况是这样的，请从现在开始为我们公司创造出一些优势的东西吧，并且你要保证是真心的要去这样做，不然以后人都招不来了。"

3.注意HR和公司的社会化营销，适当的时候主动出击。

现在社会化工具很多，HR是和学生接触的第一个人。一种备选方案是一套纸质的招聘宣传页和一套电子的视频或者PPT宣讲，然后是一些工作内容、要求和薪水等信息；另外的一种方案是以上的内容加上一套社会化的内容，比如说HR的微博上有很多学生能够认可的人作为朋友并且有很好的互动，甚至HR在微博上树立的积极的、负责任的、开心的工作氛围展示，都会把学生对于公司的印象拉升到一个更好的层次。公司的社会化营销也有同样的道理，比如谷歌宣扬的"不作恶"，以及在各样的途径讲谷歌的员工餐厅是多么的吸引人，小公司同样可以使用这样的办法。

如果能够在招聘的环节直接让学生感觉到HR是一个目前已经很强大、还有很强的学习能力，并且能够当场就给他们以帮助的人，可能效果更佳！这些帮助有可能是本专业的牛人常常光顾但是学生不知道的一个网站，也可能是几本好书的推荐等。

从招聘的角度来讲，如果招聘方对于候选人的长处和短处以及意向有一定的了解，就能够迅速地推进招聘的过程，并且能够让候选人马上给公司和职位一个较高的评分，取胜在第一环节；这个事情可能有一定的理想化的成分，但是我想如果要找市场或者销售方面的人才，而HR能够对于哪些学生经常在学校里组织一些活动或者销售，以及他们的具体做法有一定的了解和评价的话，直接入手可能会取得很好的效果；如果要找一个技术方面的人才，而发现某个学校的某个学生很早就在专业的论坛或者群里问问题，或者已经对于技术能够提出自己的一些观点，这个时候HR以"我是×××，我在×××看到你了，我想和你聊聊"作为开头，也可能取得不错的效果。

以互联网行业的QQ来说，大家都说QQ一次次在众多产品和设计等团队的努力下，变身到了现在的地步；同样招聘也是，各种公司都有各自在招聘中的阻力，好在人类总是有这样的能力在不断的困难中前进，而最后能够到达的地步往往令我们难以相信，爬过山、做过机械制图的人，会有很具体的体会。

就整个市场来说，创业公司就像刚刚毕业的"大学生"，不谙世事，却想要在社会上大展拳脚。让创业公司来做校园招聘，就像是一个"大学生"和另一个大学生的对话。比起那些大公司，这个"大学生"虽然优势并不明显，但是他们拥有相同的年轻斗志，更加能够互相理解，互促成长与进步。

30 人~50 人的团队，如何提高凝聚力和执行力？

■ "李广"式与"霍去病"式

天光[1]*觉得带领团队，基本上就是两种模式，李广式和霍去病式，两人都是汉武年间有名的大将。*

李广带兵，同吃同住，平时体恤下属，战时身先士卒，自己本身勇武过人，和士兵打成一片，有很强的感情纽带，这样的团队，凝聚力是最强的。

霍去病带兵，自己有随军御厨专门服务，平时鲜衣怒马，高高在上，拥有绝对权威，然奖罚分明，令行禁止，底下兵待遇优厚（地位、饷银），容纳了不少能人异士，依靠律条管束、糅合、激励军队。这样的团队，执行力是最强的。

两种模式都是好模式，理论上也有融合的可能。实际上，对于团队来说，感情带来凝聚力，规则（规章）带来执行力，关键问题在于两者的平衡。

那么问题其实很简单：有感情的团队，有凝聚力，有执行效果好的规则的队伍，有执行力。处理好两者的平衡，凝聚力和执行力可兼备。剩下的，就取决于团队中个人的能力和资源了。

---

[1] 企业咨询与软件应用领域连续创业者。知乎介绍：一檐停风聚天下闲士 半阁藏卷窃古今名家。

■ Leader 的气质是基石

Maggie的看法是：

团队的气质主要看Leader（领导者）的气质，所以Leader（领导者）首先要反省自己和提高水平。

Leader（领导者）有能力、有激情、会沟通，我相信只要团队工作目标明确，Leader（领导者）肯用心，这个团队的凝聚力和执行力不会差。

有些领导者偏内向和稳重，不擅长带动气氛，那么怎样让团队"热情"起来呢？Leader（领导者）要清楚自己的优势和劣势，如果不擅长沟通或者情商有欠缺，那么要有副手互补，不善于组织活动，要有热情的团队成员擅长。在招聘人员的时候，留意有这种潜能的人。

执行力是落实工作和实现目标的能力，一是如何能制定合理的可量化的目标，二是执行人的能力是否可以胜任，三是如何检查和评价目标完成情况，四是奖惩是否合理且可操作。

团队章程和规则是必要的，但要和公司的业务和团队的性质相适合，不要为了制定而制定，要为了提高效率而制定。

惩罚不是必需的，尤其对于创业团队，士气和激情更重要，可以根据目标完成情况进行奖励，对一个团队而言，表扬比惩罚的激励作用要好，不适合的人要淘汰。

如果你想知道一个团队的管理方式是怎样的，那看看他们的Leader就知道了。不论你是"李广"还是"霍去病"，无论你"与子同食，与子同袍"还是"鲜衣怒马，赏罚分明"，只要是能提高团队的凝聚力和执行力，你可以合法地无所不用其极。

30人~50人的团队，如何提高团队管理能力？

魅族的李楠认为，要在"明确"中做管理。她给出了下面的方法建议：

■ 明确分工、目标和责权利

　　接手任何一个部门后最重要的事情，是明确或者重新调整组织架构。架构的关键是：谁在什么位置，负责什么内容，一定要明确。

　　所谓"明确"的意思是：不允许两个人交叉负责，也不允许集体领导，不允许有模糊的领域。出了问题，大家都清楚谁应该出来承担责任。取得了成绩，谁的功劳也很清楚。

　　领导不是决定怎么爬梯子的人，他是决定把梯子搭在哪个墙上的人。所以他必须明确指出这个方向，向全员传达。如果这个没有做好，再优秀的团队也不会拿出好的结果。

天底下没有又要马儿跑，又不让马儿吃草的事情。

你明确地委托了你的要求，就要明确地授权和投入资源给他。否则，出了问题责任不在于他，而在于你。上司的一个重要职责，是为下属解决他们解决不了的问题。而你能提供的，其实就是权力和资源。用好他们。

■ 工作流程可视化

团队大了，最大的问题就是：你看不到问题。

即使团队还小，组建一个可视化的工具和流程的组合是必须的。这样你的团队才有足够的可扩展性。

比如：

github❶可以让你看到每个程序员的每一次 commit（代码提交）。issues（发布的不同版本）可以让你看到课题的解决过程。pivotal tracker（关键点跟踪）的燃尽图可以让你看到整个团队的效率。信群可以让你们实时沟通。基于 wiki（公共编辑）的文档和汇报可以让所有人对项目的状况一目了然。

你并不需要真的跟踪这些，但是，你需要有看到这些的能力。这样才能在出问题的时候掌握第一手的材料。而团队成员由于知道他的东西"可能会被看

❶ 一个用于使用 Git 版本控制系统项目的共享虚拟主机服务。

见"，执行的效率和质量也会有提升。

可视化还意味着"信息的对称"。上面所有的工具和流程可以保证团队成员用最低的成本了解"项目中的新鲜事"，保证快速准确的响应。

■ 分割和适当的中间结果检查

把一个大项目分割成多个时间点做检查可以有效地管理风险。

确保你检查的结果不是虚的。一定要求可见的，最好是可触摸的产品。导入一些敏捷管理的方法保证这一点。如下页图所示：

■ 要求向上承诺

管理上常被忽视的一点是，没有提前要求团队成员的承诺。一个"上面布置下来的任务"，往往不会很好地完成。而一个"向上承诺会做好的项目"，则不一样。虽然很可能是同样的事情。

■ 改变人不如换合适岗位

人并非不可改变，但公司里往往成本上并不合适。

如果一个人在他的岗位上做不好（不是在上升的过程中），那么最好的办法是把他换到更合适的地方去。

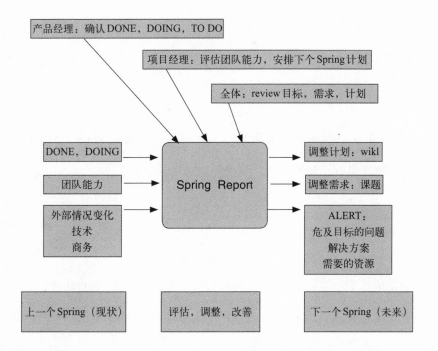

所谓"有潜力"、"慢慢提高"等情况，很多时候都是一厢情愿。

■ 要结果，不要借口

工作上的事情只有两个结果：搞定，或者没搞定。

如果没搞定，我想听的是损失如何？是否有fix（补救）的办法？需要再投入多少?

至于你为什么搞砸了，中间有什么狗血，不要给我汇报。这些事情事后汇报没有任何意义。

■ 不断改善

"改善"是丰田管理方法的核心之一。世界在飞速的变化，今天有效的方法，明天可能就失效。观察团队，发现问题，不断改善。

■ 管理中的人情味儿

Maggie自谦说自己的管理能力不算强，但有人味儿。

首先在用人上，我比较念旧，相信缘分，最初一起打拼的伙伴，是我最珍惜的。平时注重积累，看好的人，我愿意一直等，我相信即便不能成为团队的一员，也会成为朋友或者合作伙伴。

自己水平有限，就需要找互补的人。人不用多，但要有几个精英，其他人协助他们工作。

■ 公平，是管理最应有的态度

无论新招聘的人的薪酬起点比老人高多少，我都会努力在未来两三年之内，让薪酬达到公平。

不管私交有多好，在薪酬和奖金分配上，也要根据工作绩效做到公平。否则将无法树立威信。

作为女上司，我有自己的优势：体贴和细心。在公司允许的范围内为大家谋取福利。比如请假、病假、调休，我能搞定的，基本不会走没有人情味的正规流程，尽量帮大家减少薪酬上的损失。

家庭第一，工作第二，家里有事，可以马上放下工作。这点让大家很有安全感。事实表明，当家庭和工作发生冲突时，大家都能处理得很好，不会让工作做不下去。对家庭不能负责任的人，怎么能指望在工作上有承担呢。

但我也有自己的劣势，比如不够严格。所以我只选择能做好自我管理的员工，如果一个员工还需要被监督着干活，那就是用错了人。

在工作上，我喜欢有挑战性的工作。一个新创意，一款新产品，从构想变成现实，这样的成就感会有多大！保持创业的心态，危机感令人清醒和保持激情，这样锻炼出来的人不容易被这个社会淘汰。看看那些在公司安逸了多少年的员工吧，他们越来越没有跳槽的自信。

用对了人，每个人各司其职，实际上团队就不用管理。我觉得我重要的工作是为他们做好服务，搞定外部的麻烦，然后用大部分时间"满血复活"和想未来发展的事。很多人无法理解在外面争取业务和协调资源会有多大的负面情绪，我很多时间都在和它做斗争。

还有一点，就是以身作则，公私分明，不贪小便宜。

（私人请客，有时戏说公司报销，但是从来不会去报，包括自己私人外出的出租车票，都是事后撕掉。）

■ 君子养心，莫善于诚

这是马力的管理哲学。不虚假地画大饼，不当面一套背后一套，不在用人时一个样不用人时另一个样。

人的本性无法掩饰，做好真实的自己，比虚假地装扮出来的要强。假的终归是假的，迟早会被看出来。信誉本身是财富，积累下来用处很多，没有什么比让团队的人信任你更重要的了。当然如果你滥用信誉，衰减起来会更快。

反面的例子太多了，IT业尤其是重灾区，到处都是满嘴跑火车的人。

■ 己所不欲，勿施于人

自己带团队时，总会想起我在不同团队里的经历，想想如果换做是自己会需要什么，会在乎什么，将心比心。同理心不仅仅要用在自己和用户之间，还要用在自己和团队之间。

■ 幽默来自智慧，恶语来自无能

常开玩笑，更常被大家开玩笑。无关紧要的问题上，Why so serious（干嘛这么认真）？如果幽默能够让大家有更好的心情，就幽默吧，即使是自嘲。

林肯说过，幽默是一种润肤膏，它使我避免了许多摩擦和痛苦。

■ 奔着希望而去

真正有创造力的人，并不只看重眼下的收入，更看重自己的发展，看重成长，看重团队的发展。团队的带头人，应当做好战略并让大家了解，就好像船长得告诉大家船正开向何方一样。这种方向不应该是画大饼，每次的小目标至少应该是够得到的。

我很受不了短视的老板，只盯着眼前、手边的利益，不去想做更大、更有成就的事情。在这种氛围中，你做事情，就只是打一份工而已。真正有能力的人，谁愿意给一个"小老板"打一份小工？所以无论如何，当我自己带团队时，都希望自己能够帮大家看得再远一些，为了大家共同的利益、共同的目标而奋斗，每个人早晚都能够有更大的收获，而不是眼前这份工资。

fROM GOOD to

BETTER

让好的人更好

■ 坚持底线与原则

要做个好人，但是不要充好人，特别是没有原则的滥好人。有了问题一定要尖锐地曝光出来，解决掉，无论是涉及事的，还是涉及人的。

那些我们真正看重的事情，例如做事情的质量，一定要做好，没有做不好这个选项。有一次我在飞机上，我们的伙伴将一个设计发给了客户，客户回邮件说OK了，就这样吧。半夜回到家我看到了，感觉非常不好，客户能接受，但我自己无法接受，这是底线问题。于是重新出方案，大家一起奋斗了几天，最终给了客户一个新版的方案。客户的Boss（老板）看到最终版后回复了邮件："这是我昨晚梦中的东西。"含含糊糊也能过得去，但是要做好事情，我们得明白底线在哪里。

■ 让好的人更好

昔齐桓公出，见一故墟而问之。或对曰："郭氏之墟也。"复问："郭氏曷为墟？"曰："善善而恶恶焉。"桓公曰："善善恶恶乃所以为存，而反为墟，何也？"曰："善善而不能用，恶恶而不能去。彼善人知其贵己而不用，则怨之；恶人见其贱己而不好，则仇之。夫与善人为怨、恶人为仇，欲毋亡而得乎？"

对于真正做事的人，应该让他们获得更多的认可、收益与空间。很多管理者欠缺的是，对于那些真正有能力的团队成员，没有魄力给他们更大的机会，给他们更好的成长空间，只是让他们一步步熬时间，将千里马和普通马一样养。问题是，谁有时间陪你玩？真正有能力的人，一定是哭着喊着要上进的，你注意不到？那你就没机会了。

对于缺乏能力并且态度无法适应团队氛围的人，要及时且公正的处理，这对于整个团队才是真正的公平。无法和团队融合的人，或者将团队往不好的方向影响的人，都会破坏团队的气场，这种时候管理者需要有足够的魄力。

■ 弹性

目标导向，提供弹性和灵活度。不采取僵化的打卡方式。

> **创业贴士** \\\\\\\\\\\
>
> **创业公司在不同阶段
> 对财务岗位的要求分
> 别是什么？**

■ 财务岗位的要求是逐步增加积累，而不仅仅是替换

Grace Wang❶认为从初创期到Pre-IPO的财务管理思路和人才，一般应该由

---

❶ 前土豆 CFO 天使投资人。

广到专，由粗到精。

初期到A轮建议招聘全能型人才，一到两个人能够负责公司全部的财务、行政和人力资源。A~B轮左右开始划分内部角色，财务人员需要熟悉中国会计准则，了解公司结构、账务、税务、外汇等方面的各种处理思路并能帮助公司选择合规且成本经济的方法。

中期的财务则需要配合公司成长和境外投资人的要求，熟悉国际通用会计准则、能够有效地进行财务分析、中外币现金流管理、treasury、税务筹划、提供管理决策需要的报表和报告。

Pre-IPO阶段则需要增加熟悉未来上市地规则和准则的专业人员，并根据所选择的市场开始组建细分团队，如美国上市之SOX。这几类人才，为逐步增加积累，而不是替换的概念。初期员工如果能够和公司一起成长，就很有机会成为当仁不让的顶梁柱。当然如果这样的人才能一步到位的话，也是创业公司的幸运。

■ 财务关乎企业成败

周建军[1]觉得不同类型的企业，其创业初期核心竞争力不同，但财务始终都是一个非常重要的部门，关乎企业的生死成败。因为：

---

[1] 航空发动机毕业，光通信十余年，MBA方向营销，未来转向探索中。

第一、财务分析是衡量企业经营绩效的必备手段，为企业的决策提供事实依据；第二、投资分析是帮助企业塑造核心竞争力的有力工具；第三、融资手段是帮助企业提高财务杠杆，提升企业发展空间的必备功能。

资金需求不明显，业务量不太大的企业可以适当将这些工作外包；若本身企业较大，或者发展速度较快，或者数据保密要求较高，建议从开始就设置CFO（首席财务官）。

■ CFO越早越好

杨昆[1]*说理论上 CFO 的设立越早越好。*

但实际情况是，大多数公司是在上市前 6~12 个月引进CFO。

CFO一般所负责的资本架构、财务、法律、税务这些业务都具有不可逆转性，越早搭建起一个稳健的平台对公司的帮助越大。但小公司很难承受CFO的价格，在中国所有企业都想上市的热潮下，仅仅靠期权股票很难吸引到一流的CFO。所以大多数创业公司都只能在上市路线和时间表已经基本确立的时候再引进CFO。

Grace Wang 同样认为越早越好。

---

[1] 东方龙之梦（北京）数字科技有限公司联合创始人兼 COO,曾任无限讯奇信息技术有限公司CFO。新浪微博@桂子山人：开过一次会，写过一篇文，导过一部戏，唱过一首歌，送过一个人，选过一次秀，演过一次讲，帮过很多人，说过好多话。

创业初期至中期最好是一个能负责内部综合管理的CFO，确保公司稳步有序的运营。上市前后则必须要有财务会计方面的专家，在应对证券管理和投资人方面具有丰富的经验。

很多公司会在早中期先引进一个财务负责人，冠以财务副总裁或者财务总监的头衔，把收入利润拉扯到上市公司的门槛。这时有的财务负责人如果能获得投资人的认可则可荣升为CFO（华谊兄弟的CFO则为一例），有的则摆脱不了"老会计豪华升级版"的形象，只能停留在财务副总裁（这个职位已经相当高了）或者财务总监或者董事会秘书的位置。

公司一般会通过投资人再找一个有上市经验的CFO。原先的老臣如果不忿会离开，CFO就顺理成章地兼任财务副总裁之职；如果老臣想继续熬下去，也可以跟CFO和平共处，因为老臣一般跟创始人的关系比较亲密，知道太多公司的历史和内幕，公司把他干掉的成本和风险太高，不如养起来。如果老臣、新臣共处，一般是老臣主内（总账、税务、现金等）坐镇后方，新臣主外（董事会、投资人、投行、律师、会计事务所等），奋勇销售冲IPO。

知乎
发现更大的世界

作者索引

（续表）

页码	作者
92	黄一孟
94	徐小平
100	雷军
113	刘留
115	蒋亚萌
122	龚红兵
124	千鸟
124	毛述永
132	张鼎
136	Fanlee
152	韩冰
154	简江
156	张亮
157	陈昊芝
164	keso
170	胡博予
171	黄宽
173	RaymondWang
176	裴伯纯
179	赵燕新
179	Ender
192	陶宁
194	陈刚
195	张立盛
197	张小龙
202	陶智
204	高春辉
205	严成旺
218	曹政
220	周士钧
220	何明璐
221	李楠
224	曹婷婷
225	HK
229	任鹏

（续表）

页码	作者
230	黎小山
233	王世忠
242	吴卓浩
245	刘路
246	王彦之
247	王天
249	李天放
256	OurDearAmy
257	黄海钧
275	农筅
280	酷拉皮卡
287	Chada
290	刘秀苹
293	范凯
299	马力
316	姚旭
319	且歌且行
321	丁士正
335	王小川
350	胡斌
351	周永信
354	刘武亮
363	王钰琨
365	廖斌
376	RonnieXiao
381	许红梅
383	axureMaster
383	张 helene
384	王俊宏
388	天光
400	GraceWang
401	周建军
402	杨昆